L'INTÉGRALE
7

CHARLIER **BLUEBERRY** GIRAUD

DARGAUD

PARIS BARCELONE BRUXELLES HONG KONG LAUSANNE LONDRES MONTREAL NEW YORK SHANGHAI

Cher lecteur,

Ce septième tome de l'intégrale *Blueberry*, prévue en 9 volumes, reprend les pages de la série qui ont été prépubliées dans *L'Écho des Savanes* et *Le Journal de Spirou* entre le 1er octobre 1981 et le 15 décembre 1983, ainsi que celles qui ont été publiées directement en album en 1986. Les couleurs sont celles des albums qui avaient été validées ou refaites par Jean Giraud.

Nous vous souhaitons une merveilleuse lecture de l'une des œuvres les plus mythiques de la bande dessinée.

L'éditeur tient tout particulièrement à remercier Isabelle Giraud et Philippe Charlier pour leur collaboration et leur soutien.

La Tribu fantôme a été prépubliée dans *L'Écho des savanes* du n° 81 du 1er octobre 1981 au n° 83 du 1er décembre 1981.
Première édition en album en 1982 chez Hachette et Novédi.

La Dernière Carte a été prépubliée dans *Le Journal de Spirou*, du n° 2380 du 24 novembre 1983 au n° 2383 du 15 décembre 1983.
Première édition en album en 1983 chez Hachette et Novédi.

Le Bout de la piste
Première édition en album en 1986 chez Novédi.

L'éditeur remercie Patrice Pellerin ainsi que les librairies Aaapoum Bapoum et Bande des cinés, pour leurs ressources iconographiques.

www.dargaud.com

PREMIÈRE ÉDITION

Dépôt légal : décembre 2017 • ISBN 978-2205-07682-0
Imprimé et relié en Italie par Stige

La réhabilitation de Blueberry

par Stéphane Beaujean et Vladimir Lecointre

Joseph Gillain, dit Jijé, disparaît en juin 1981. Après la disparition de Victor Hubinon en janvier 1979, c'est un nouveau coup dur pour Jean-Michel Charlier, qui perd sur une période très courte deux amis chers, et deux compagnons de longue date en bande dessinée. L'aventure *Super As* dans laquelle il s'était investi en tant que rédacteur en chef s'est arrêtée entre-temps en janvier 1980. Le début de cette décennie est donc pour le scénariste une période de grande instabilité, au cours de laquelle il s'échine, selon ses propres mots, à « colmater les brèches ». Le jeune dessinateur Patrick Serres prend naturellement la suite de Jijé sur *Tanguy et Laverdure*, la proximité graphique avec la bande dessinée américaine aidant. Mais le cas de la série *Barbe-Rouge* donne plus de fil à retordre au scénariste. C'est en 1982 que Charlier trouve les remplaçants idoines. Patrice Pellerin, parrainé par Jean Giraud, et surtout Christian Gaty, qui restera en charge du dessin après la disparition de Jean-Michel Charlier, sont désignés. En parallèle, Charlier essaie de relancer plusieurs projets de périodiques pour la jeunesse qui n'aboutissent pas. Ce contexte perturbé peut expliquer pourquoi la série *Blueberry*, par son antériorité et sa relative stabilité, mobilise plus facilement l'attention du scénariste, qui accélère son rythme de publication à partir de 1980 pour renouer avec la productivité d'antan. De *Nez Cassé* à *La Dernière Carte*, les albums sont ainsi produits à un rythme particulièrement rapide en regard de la longue pause qui a suivi *Angel Face*. Mais la mécanique s'enraye avec *Le Bout de la piste*, en 1985. Giraud n'a plus envie de s'imposer ce rythme. Le dessinateur a besoin de ménager du temps à son alter ego Mœbius et envisage de sérieusement ralentir la production, ce qui contrarie son scénariste. Les trois albums de la présente intégrale s'inscrivent donc dans cette époque qui marque la fin du *Blueberry* que les lecteurs avaient toujours connu.

La Tribu fantôme

Lorsqu'il commence à travailler sur *La Tribu fantôme*, prépubliée dans *L'Écho des savanes* en 1981, du n° 81 (1er octobre 1981) au n° 83 (1er décembre 1981), Jean Giraud dessine en parallèle *L'Incal*, dont les deux premiers volumes paraissent en chapitres chaque mois dans *Métal Hurlant* depuis bientôt un an. Le 1er octobre 1981 sont ainsi prépubliés simultanément le dernier épisode du second volume, *L'Incal lumière*, et le premier chapitre de *La Tribu fantôme*. Pour son arrivée dans *L'Écho des savanes*, *Blueberry* fait la couverture

Couverture de L'Écho des savanes *n° 81 du 1er octobre 1981.*

du n° 81 avec un gros plan tiré de la planche 15A, où la mise en valeur du juron « Damn » et du qualificatif « Abruti » emmène délibérément la série, somme toute respectable, vers l'univers plus trivial et rebelle d'un journal qui se veut plus provocateur que ses aînés.
En termes de dessin, le travail à la plume pour *L'Incal* a des répercussions immédiates sur *La Tribu fantôme*, histoire pour laquelle Giraud déclare avoir principalement utilisé la plume : « [Avant], je me lançais dans des mélanges plume-pinceau, mais cela ne durait jamais plus de cinq ou six pages ; très vite je revenais au pinceau seul. Pour *La Tribu*, j'ai tenu le coup sur tout l'album et cela a vraiment bien fonctionné ; cela donne une touche étonnamment gaie, un côté assez Mœbius qui vient donc de l'emploi de la plume. » (*Docteur Mœbius et Mister Gir*, Casterman, 2015.)
La finesse du trait, quoique toujours souple, et la raréfaction des masses de noir, confèrent au dessin une patine plus minérale. En contrepartie, c'est à la couleur qu'est dévolu le travail sur la lumière, tout particulièrement pour le cisèlement des ombres à l'intérieur du trait. Les compositions de pages parfois très expérimentales de l'album précédent, *La Longue Marche*, ont quant à elles disparu. Le découpage de *La Tribu fantôme* s'est assagi : les bulles ont réduit de taille, permettant aux planches de renouer avec l'équilibre, entre clarté et complexité, qui caractérisait *Nez Cassé*. Enfin, *La Tribu fantôme* marque le retour des plans larges, comme si ces derniers étaient observés derrière un objectif de très grand angle, saturés de détails et d'activités humaines. C'est probablement pour toutes ces raisons – l'envie de se cantonner tant que possible à la plume, de revenir à des compositions de pages complexes mais toujours lisibles et de renouer sur le plan du dessin avec les grands panoramas – que Giraud a recours, pour la première fois dans *Blueberry*, à des planches de très grand format : 50 cm de large par 65 de haut. Il est possible que ce format ait favorisé une composition sur 3 bandes (c'est le cas pour les planches 9, 16, 27, 30, 32, 33, 35, 36, 39, 44 et 45), par opposition aux planches scindées par tradition en deux moitiés.
Si ce format incite également Giraud à chercher un niveau impressionnant de détails, il n'en abuse pourtant pas, ne poussant plus aussi loin le travail de hachures comme il avait pu le faire dans *Nez Cassé*. La planche 15, qui représente une scène d'action d'une grande intensité, est à ce titre exemplaire de l'esthétique de l'album. L'équilibre entre mouvement, fluidité et plaisir du dessin semble ici parfait. Et les dernières planches, qui mettent en scène une bataille avec un grand nombre de personnages et d'actions presque simultanées, restent un tour de force mémorable.
L'intrigue est quant à elle très caractéristique du style de Charlier. Comme dans *Nez cassé*, le récit s'ouvre sur une ellipse. Installé dans le camp opposé, le scénariste laisse le soin aux adversaires de résumer les épisodes précédents, ce qui permet d'enrichir le récit, comme Charlier aime souvent à le faire, d'un nouveau point de vue. En effet, depuis le premier album de la série, le scénariste ne cesse d'évoquer l'injustice et l'incompréhension dont sont victimes les Amérindiens. Et une fois encore, la grande histoire sert d'inspiration. Derrière la macabre chasse aux Navajos organisée par les Blancs dans *La Tribu fantôme*, se cache probablement celle, racontée par John Ford dans *Les Cheyennes*, de 300 Indiens guidés par Dull Knife et Little Wolf qui décidèrent de fuir, en 1877, la réserve où ils avaient été déportés en Oklahoma, abandonnant par là même les conditions de vie inhumaines auxquelles ils avaient été contraints. Comme les Navajos de cet épisode (Charlier fait là une petite erreur factuelle, car dans la réserve de San Carlos étaient parqués des Apaches), la tribu de quelque 300 Cheyennes guidée par Dull Knife et Little Wolf réussit à déjouer tous les pièges en n'étant jamais là où on l'attend. Un épisode

Illustration ayant servi à une PLV.

couverture de *Nez Cassé*. Visuellement, sa silhouette épouse les codes vestimentaires de ce nouveau type de héros qui envahit l'imaginaire américain au début des années 1980, le guérillero ou le vétéran rebelle, à la John Rambo, avec qui Blueberry partage d'ailleurs le statut d'ex-soldat. Le port du bandeau peaufine la déconstruction visuelle de l'officier de cavalerie qu'il a longtemps été. Et sur cette même planche 3, le discours enflammé de Cochise sur sa volonté de « mourir libre » ne peut que faire écho aux nombreuses luttes pour l'indépendance et la liberté qui ont occupé l'actualité

Ci-dessus et ci-contre : Illustrations extraites du tirage de tête du Bout de la piste.

de l'intrigue, notamment, fait littéralement écho à cette histoire vraie, quand une poignée d'Indiens, dissimulés dans des bosquets au croisement de quatre canyons, tiennent en échec tout un détachement. Mais le parallèle avec l'Histoire s'arrête ici : la fin est en réalité beaucoup plus sordide.
L'originalité de l'album, au fond, tient surtout à l'évolution du personnage de Blueberry, qui apparaît à la planche 3 avec un bandeau dans les cheveux, à la façon des hommes de sa tribu d'adoption, comme sur la

DANS L'ATELIER DE JEAN GIRAUD

Ma première rencontre avec Jean Giraud, ce fut à Paris, en 1980, lors d'une exposition de ses dessins. Un mois plus tard, à son invitation, je le retrouvais chez lui au Moulin Vignau à Castet, dans le Béarn, où il venait d'emménager. J'ai passé une journée entière à discuter et à le regarder travailler sur les pages de *La Tribu fantôme*. C'était dans un style différent de ses autres albums, plus léger, avec un encrage à la plume et ensuite un remplissage de hachures et de taches au pinceau (Windsor & Newton n° 3, quand Foster et Raymond utilisaient le n° 2 et Caniff le n° 1). Je l'ai vu rustiner la tête de la case 6 de la planche 31 et ensuite, l'après-midi, il a exécuté le crayonné de la première demi-planche de la page 32. Il a fait le lettrage et les bulles en tout premier et a commencé à encrer les contours des dessins d'une manière très libre et très rapide. Il m'a expliqué qu'il faisait ainsi plusieurs pages uniquement aux contours et les laissait « reposer» quelque temps pour prendre du recul, avant de les remplir, quitte à faire des corrections. Caniff procédait de même (on a de très bons exemples dans son travail sur *Male Call*). Le papier était du Shoeller Parole auquel il est quasiment toujours resté fidèle.

Sur la table, dans cet atelier très dépouillé, il y avait des livres ouverts, des photos de films. Il les regardait comme pour ouvrir sa banque d'images. C'était un support au dessin, un point d'appui... Il m'a souvent parlé de son regret de n'avoir pas eu dès le départ une formation de dessin plus académique, un peu comme ces danseurs de l'Opéra qui peuvent ensuite aller dans toutes les directions tellement leur base est solide. Je pense en fait qu'il a compensé de manière extraordinaire cette absence-là.
Ses chats étaient là, qui le surveillaient. La veille, l'un d'eux avait marché sur une planche en cours d'encrage et l'avait maculée. Il s'employait alors calmement à la nettoyer, réencrant des cases ou mettant du Liquitex acrylique pour couvrir les taches. Son fils l'interrompait parfois pour lui demander de lui dessiner un Schtroumpf et il s'exécutait. Pendant ce temps, tout en regardant l'avancée de son travail, je feuilletais l'énorme story-board de *Dune*, après avoir admiré les cinq premières pages du premier tome de *L'Incal*.
Des moments inoubliables.

Patrice Pellerin

Photo prise par Patrice Pellerin, de Jean Giraud travaillant sur La Tribu fantôme*, dans son atelier du Moulin Vignau à Castet, dans le Béarn, en 1980.*
Ci-contre : illustration inédite de Blueberry par jean Giraud. Non daté, non signé.

Eggskull, Le double maléfique…

des trois décennies précédentes. Cette allure de guérillero frappera d'ailleurs le grand fan de Giraud qu'est Colin Wilson. Bien avant que ce dernier reprenne le dessin de *La Jeunesse de Blueberry*, il avait fait de Rael, le héros de sa série *Dans l'ombre du Soleil* (Glénat, 1984-1989), le sosie du Blueberry de cette période.

Renégat malgré lui, homme entre deux cultures, Blueberry se montre le plus habile des tacticiens. Aguerri aux méthodes de la guerre moderne tout en refusant la pensée standardisée des académies militaires, il dame le pion aux soldats et aux mercenaires là où ses amis amérindiens auraient échoué. Ses compagnons navajos insistent d'ailleurs sur son caractère rusé : « Tsi-Na-Pah malin comme renard » (planche 19), « Tsi-Na-Pah aussi rusé qu'un vrai Navajo ! » (planche 21). Heureusement pour l'intrigue, face à son héros qui sinon triompherait sans gloire aux yeux du lecteur, Charlier installe un double maléfique, Eggskull. Motivé par la haine et le désir de vengeance, ce chasseur de Peaux-Rouges professionnel est un formidable méchant de fiction tel que Charlier aime à les brosser. Ancien civil, Eggskull appartient au même monde que Mike, Red et Jim. Comme eux, c'est un marginal, un original aux yeux des habitants des villes. Comme eux, il est habitué à la violence et à la rudesse de l'Ouest, et il a gardé quelque chose de l'animal, un rapport proche de la nature dont il sait déchiffrer les signes. Comme eux, il doit sentir mauvais et est regardé avec défiance. Lui ne se laisse pas berner par les leurres qui trompent les militaires formatés. Dans la ville où les deux ennemis se croisent au petit matin, Eggskull est le seul à être réveillé pour voir passer Red Neck et McClure (planche 25).

La tactique et la logistique, moteurs de l'intrigue

Alors que Charlier doit raconter la fuite particulièrement épuisante d'une tribu indienne obligée de faire preuve d'endurance au cœur d'un vaste territoire grouillant de soldats ennemis, le scénariste semble aux anges. En bon professionnel, il fait sans cesse surgir de nouvelles difficultés. Surtout, il a l'intelligence de mettre au centre de l'épopée un élément généralement négligé dans les récits de fiction : la logistique. Chaque armée, par exemple, doit être nourrie. C'est le concept des *impedimenta* romains, que cite par ailleurs le scénariste dans son manuscrit à propos du convoi qui accompagne le train présidentiel dans *Le Bout de la piste*. Ainsi, dans les planches 23 à 26 et 30 à 36 de *La Tribu fantôme*, la question du ravitaillement est le moteur de l'action et des interactions entre les personnages. Grand amateur de récits de guerre, mais soucieux d'accorder une importance particulière aux caractéristiques géographiques et à la logistique, Charlier déploie également tout son talent, en parfait accord avec son dessinateur, pour raconter la fuite de la tribu. Les intentions tactiques du scénario sont pleinement mises en œuvre par la maîtrise du dessin, comme dans les deux premières cases-bandes de la planche 21, ou encore dans la première case de la planche 37, qui donne à lire de façon extrêmement crédible et palpable cette simple phrase : « Ils quittent l'abri des sierras plein sud. » Rares sont

Illustration de couverture non retenue pour La Dernière Carte.

les bandes dessinées qui restituent ainsi une telle impression d'ampleur géographique, et le procédé atteint son sommet lorsque les enjeux tactiques se trouvent synthétisés par un plan schématique en encart, tandis qu'une image panoramique vient réifier, donner corps à l'abstraction. De cette confrontation entre deux modes de représentation d'une réalité naissent une grande joie de lecture et une folle impression de vraisemblance.

La Dernière Carte

Dès la première case de *La Dernière Carte*, magnifique vue d'ensemble sur une ville mexicaine, une attention particulière est portée aux tenues des différents protagonistes. Ce traitement presque psychomorphologique caractérisera en partie le dessin tout le long de l'album. Car le chapeau mexicain et l'élégante chemise ouverte de Blueberry,

Couverture du Journal de Spirou n° 2380 du 24 novembre 1983.

qui signalent le besoin de se camoufler du héros afin de ne pas être reconnu, marquent une nouvelle étape de son éloignement de l'armée. De façon anodine, il est indiqué page suivante que les trois héros ont travaillé peu de temps auparavant. Un intérim de trois mois dans le civil au fond des mines d'argent de Ximenez qui, quoique temporaire, marque inévitablement une nouvelle rupture avec le statut de militaire du héros.

Un épisode très Mœbius

Surtout, cet épisode étonne par ses inflexions graphiques : Gir cède presque totalement la place à Mœbius. L'étagement des différents plans à l'intérieur des images offre une clarté parfois cristalline et une tridimensionnalité inhabituelle dans la peinture de l'Ouest américain de *Blueberry*. Les lignes s'allongent mais se raréfient et les ellipses dans le dessin se

multiplient anormalement, faisant évoluer l'esthétique vers un étrange compromis entre la ligne claire et le réalisme. Ce style, à l'évidence, participe de la recherche graphique plutôt mœbusienne qui accouche l'année suivante de *Sur l'étoile* et de la suite du cycle des *Mondes d'Ædena*. Il y a là un contraste flagrant avec le « style Mœbius » hachuré qui transparaissait dans *Nez Cassé*. Le dessin, malgré l'abondance de détails propre aux esthétiques réalistes, se nourrit de cette approche qui se montre économe du trait afin de ménager des espaces vides à même de produire une luminosité étonnante, elle-même amplifiée par une mise en couleurs en aplats pleins et contrastés, aux teintes inhabituelles. Surtout, c'est le décalage humoristique distillé dans certains dessins qui trahit la présence de Mœbius derrière la signature de Gir. Fini le flegme eastwoodien que Giraud s'échinait à imposer aux personnages, souvent en contradiction avec les attitudes comiques que propose initialement Charlier dans ses scénarios. Ici, nombreux sont les corps et les visages des protagonistes secondaires à tirer doucement vers la caricature. Les attitudes et expressions prennent parfois une tournure légèrement outrée, hiératique, quand elles ne rappellent pas la pantomime. Cette direction d'acteurs théâtrale, presque grotesque, renvoie au réalisme décalé cher à Mœbius.

Contraction et dilatation

Charlier, quant à lui, structure la dramaturgie autour d'une mécanique diamétralement opposée à celle des épisodes précédents. En rupture avec *La Longue Marche* et *La Tribu fantôme*, qui faisaient parcourir de nombreux miles aux protagonistes, l'action dans *La Dernière Carte* se sédentarise. 38 des 48 planches de cet album (soit 80 % de l'histoire) se déroulent exclusivement dans les rues de la ville de Chihuahua. Depuis *Angel Face*, aucun album n'avait connu un tel resserrement géographique. Cette rupture n'est d'ailleurs pas sans évoquer une remarque de Jean Giraud qui, dans la préface du tirage de tête du *Bout de la piste* (éditions Novédi, 1986), rappelle qu'une des forces de son scénariste est d'alterner dans ses récits « temps contracté et temps dilaté ». Or ce travail sur les ruptures de rythme semble s'appliquer également aux lieux et à la géographie : les personnages peuvent vagabonder pendant plusieurs albums avant que leur terrain de jeu ne se comprime le temps d'une aventure statique et étouffante. Ce séjour mexicain offre en tout cas l'occasion de

Illustration extraite du tirage de tête du Bout de la piste.
Ci-contre et page suivante : extraits du portfolio Gentiane.

réunir durablement, et pour la première fois depuis longtemps, le trio de héros formé par Blueberry, McClure et Red Neck. Enfermés ensemble, ils ont des dialogues savoureux et leur complicité est manifeste, d'autant que les années d'aventures communes, brodées par Charlier dans les précédents albums, jouent désormais sur le sentiment qu'ils ont eu tout le temps d'apprendre à se connaître. Charlier sait très bien modeler patiemment ses personnages secondaires hauts en couleur, car il utilise le même procédé qu'Hergé : « [...] Dans un récit de 44 ou

McClure, un personnage secondaire à forte personnalité. Illustration extraite du tirage de tête du Bout de la piste.

46 planches, il est très difficile, en même temps que l'on développe des gags et que l'on monte une action, de donner une quelconque vérité, une densité humaine aux personnages. Le nombre de pages du récit est trop limité. Et l'action en occupe l'essentiel. Il n'y a qu'une façon de conférer à ces personnages une certaine "épaisseur", c'est de les traîner sur un nombre considérable d'épisodes et, album après album, par petites touches, d'ajouter des notations, des détails qui vont leur créer une personnalité. »

Crépusculaire

Les albums de cette période se révèlent plus matures, macabres et sexués que les précédents. Deux décennies ont passé, les lecteurs ont grandi, les auteurs ont mûri et la bande dessinée a évolué. Comment ne pas s'attarder sur l'attitude de Blueberry, élégant et songeur, vivant ce qu'il pense être sa dernière nuit dans un cachot pendant que ses amis, condamnés eux aussi, jouent aux cartes des sommes imaginaires : la scène apparaît théâtrale et inattendue dans un feuilleton de western en bande dessinée. Divers éléments sombres surnagent également ici ou là : le personnage d'El Tigre, rongé par l'alcool et la maladie, la décrépitude physique de Vigo, sa douloureuse agonie, son suicide… *La Dernière Carte* semble convoquer un imaginaire crépusculaire proche de celui de l'Américain Sam Peckinpah (*La Horde sauvage, Pat Garrett et Billy le Kid, Apportez-moi la tête d'Alfredo Garcia*), d'autant que l'intrigue se déroule dans ce cadre mexicain que ce cinéaste affectionnait particulièrement. Comme chez Peckinpah, cet album et le suivant, aux titres annonciateurs, témoignent du vieillissement d'une génération de héros. Blueberry a désormais les tempes et les pattes grises, trahissant, comme Charlier l'évoquait, dans l'interview publiée dans *Autour du scénario* (Revue de l'université de Bruxelles, 1986), que « Giraud […] s'identifiait totalement à Blueberry. C'est tellement vrai que Blueberry a attrapé ses premiers cheveux gris en même temps que lui… » Mais le héros n'est pas le seul à vieillir. Le dessinateur semble également s'attacher avec tendresse à Vigo, le commandant devenu gouverneur avant de tomber de son piédestal, dont le visage a bien changé depuis la conclusion de *Ballade pour un cercueil*. Son faciès s'est étoffé d'un menton pendouillant, ses rides se sont creusées. Un effet de l'exercice du pouvoir, peut-être ? Ou le poids de la vilenie ? La dignité de sa mort lui permettra tout de même de partir en beauté hors-champ. Plus tard, dans *Le Bout de la piste*, c'est l'ignoble Kelly qui resurgira, vieilli et rongé par les angoisses. Lui aussi trouvera la mort, comme beaucoup des adversaires que le lieutenant traîne dans son sillage depuis parfois plus de quinze ans ! C'est la fin d'une époque qui point à l'horizon.

Le Bout de la piste

Après quelques albums publiés à un rythme soutenu, *Le Bout de la piste* prend trois longues années à sortir. La raison : Jean Giraud, après *La Dernière Carte,* qu'il avait dessinée à Tahiti, s'est envolé pour vivre à Los Angeles, et son double, Mœbius, lui prend de plus en plus de temps. Charlier, de son côté, redouble d'efforts pour essayer de relancer des magazines pour la jeunesse. En vain. Il se retrouve de plus en plus dépendant des éditions Novédi et de *Blueberry*, la locomotive commerciale de ce jeune éditeur belge. Il décide alors, avec Jean Giraud, de relancer la série parallèle, *La Jeunesse de Blueberry*. Le Néozélandais Colin Wilson, qui postulait pour œuvrer en tant qu'assistant, un peu comme Jean Giraud l'avait été pour Jijé, se retrouve à sa grande surprise propulsé dessinateur officiel de la série parallèle, initiée par Jean Giraud en 1968. Les mois passent, Giraud travaille pour le cinéma ou les éditions Marvel tandis que la production du nouveau *Blueberry* stagne. Le dessinateur n'a d'ailleurs même pas le temps de finir l'encrage des quatre dernières pages du *Bout de la piste* au moment où il les apporte à Bruxelles. Obligé de rentrer de toute urgence à Los Angeles, il délègue cette tâche à Colin Wilson, non sans avoir au préalable cerné de noir les éléments les plus importants comme les visages. Lorsque est enfin publié l'album, en 1986, l'époque a résolument changé : le temps des hebdos pour la jeunesse est presque révolu. Les éditeurs ont achevé de réorienter leur politique vers les albums et *Le Bout de la piste* est le premier *Blueberry* à sortir directement en librairie. Prêt à paraître pour la rentrée, cet opus est

Illustration extraite du tirage de tête du Bout de la piste.

BLUEBERRY

LE BOUT DE LA PISTE

GIRAUD · CHARLIER

en revanche le premier à bénéficier d'un tirage de tête luxueux, imprimé à 2 200 exemplaires, numérotés et signés par les auteurs, et d'un autre tirage noir et blanc moins rare, de plus grand format, mis en vente avec et sans jaquette. Cette mise en place, ainsi que cette mise en valeur du travail des auteurs, montre bien que la bande dessinée est entrée dans une période de reconnaissance culturelle. Album au titre prophétique, *Le Bout de la piste* sera le dernier dont Charlier aura pu écrire la conclusion. Il signe la fin de l'ère classique des aventures du lieutenant Blueberry, et vient clore plusieurs intrigues qui s'entremêlaient depuis plus de quinze ans, dans *Chihuahua Pearl*, et même avant si l'on songe au personnage qui s'avérera être le grand instigateur des complots.

Une nouvelle forme de collaboration

Avec la distance qui sépare les deux auteurs, la relation de travail devient plus sporadique et épistolaire. Jean Giraud, qui avait déjà l'habitude de modifier certains détails des scénarios, gagne encore en liberté. De toute manière, Charlier a appris à faire confiance à son dessinateur et il lui envoie un scénario vraisemblablement plus ouvert à la réinterprétation. Giraud peut ainsi intervenir plus activement sur les dialogues et sur ce qui, au théâtre, relèverait de la direction d'acteurs, à l'exception de quelques passages où le scénariste lui demande expressément de ne surtout rien modifier. Dans la préface du *Bout de la piste*, le dessinateur évoque la manière dont il s'éloigne du script pour rendre le personnage de Blueberry moins bavard et plus conforme à l'idée du cow-boy taciturne. « Parfois je gomme des réactions de Blueberry, et au lieu de lui arrondir les yeux et la bouche, j'ai le réflexe de tirer Blueberry vers le cow-boy traditionnel taciturne du film américain. » Charlier emploie en effet souvent des adjectifs ou des tournures très imagés pour décrire les attitudes dans ses didascalies. Or Giraud les tempère. Les personnages perdent en émotivité, gagnent en stoïcisme. Ce traitement, qui ne devait s'appliquer qu'au héros, contamine finalement tous les personnages. Par exemple, dans les planches 3 et 4, le scénario note : « La femme de Grant [*sic* !] éponge ses larmes, le secrétaire est béant de stupeur.

Page précédente : couverture du tirage de tête du Bout de la piste.
Ci-dessous : Jean-Michel Charlier en pleine interview télévisée dans les locaux de Dargaud au 12, rue Blaise-Pascal à Neuilly, en 1974.

Dodge, bouleversé, est comme anéanti. [...] Avec une stupeur incrédule, et une attention passionnée, Dodge qui refrène mal l'indignation et l'émotion qui le gagnent, lit les pièces [...]. Malheureux, désemparé, Dodge en proie à une terrible émotion, interroge Blueberry avec une sorte de désespoir. » La mise en scène de Giraud et les modifications qu'il apporte aux dialogues montrent un Dogde au contraire très calme et perspicace. « Hm... Je vois maintenant pourquoi vous êtes venu me raconter tout ça. » Plus loin, planche 46, Blueberry est réhabilité et récompensé. Red Neck et McClure sont, dans le script, censés se mettre à « danser, effectuer des bonds, gesticuler, brailler ». Leur réaction sera beaucoup plus sobre, ce qui n'enlève rien à l'humour de leurs répliques. *A contrario*, Giraud rajoute parfois un peu de corps et d'images aux dialogues quand il sent que les didascalies de Charlier sont délicates à retranscrire par la seule ressource du dessin. Un exemple particulièrement frappant et amusant est donné en planche 4B, quand Giraud remplace le « Dieu vous garde ! » que Charlier avait placé dans la bouche de Mrs Dodge par « La prochaine fois prenez un bain... Vous puez comme mille boucs ! » déclamé par son mari ! Plus loin, McClure cherche désespérément à boire, pour le plus grand plaisir des lecteurs, alors que le script ne le mentionne pas, ajoutant une teinte comique au récit. Les exemples d'adaptations sont ainsi innombrables. Trop loin pour pouvoir échanger ou faire valider par son partenaire, Jean Giraud laisse libre cours à son tempérament de conteur sous l'œil bienveillant d'un Jean-Michel Charlier qui comprend également qu'il doit plus que jamais ménager le plaisir de son dessinateur. En effet, *Le Bout de la piste* terminé, Giraud annonce par courrier à Charlier qu'il n'a plus la force de suivre le rythme que son intrépide scénariste essaie de lui imposer, par nécessité économique. Pour Jean-Michel Charlier, la vitalité de *Blueberry* est devenue indispensable. Mais Jean Giraud craint, s'il devait se conformer au rythme des productions industrialisées, d'épuiser son inspiration et de sombrer dans cette dépression qui guette selon lui tous les dessinateurs qui s'assèchent dans l'obligation de l'artisanat et de l'industrie. C'est dans ce contexte un peu tendu entre les deux auteurs que s'amorce la création d'*Arizona Love*. Mais ceci est une autre histoire.

Stéphane Beaujean et Vladimir Lecointre

Liste des ouvrages utilisés :

Autour du scénario (Revue de l'université de Bruxelles, 1986) ; *Swof* HS ; *Sapristi* ; *Dr Mœbius et Mister Gir*, entretiens de Jean Giraud avec Numa Sadoul, (Casterman).

Remerciements : Isabelle Giraud, Philippe Charlier, Claudine Giraud, Colin Wilson, Jean Annestay.

Illustration extraite du tirage de tête du Bout de la piste.

Angel Leather Face

Parmi les archives de Jean-Michel Charlier se trouve une ébauche manuscrite de la séquence où Blueberry cherche à engager un chef de bande, planche 22. Le personnage d'El Tigre, le marquis Albert de Listrac, n'était pas encore conçu, et Charlier pensait plutôt ressusciter Angel Face. Le personnage serait revenu le visage défiguré, dissimulé sous une cagoule de cuir noir laissant échapper une longue chevelure blanche. Blueberry ne l'aurait pas immédiatement reconnu parce que le brigand se serait fait surnommer « El Cogullito ».

« L'homme est Angel Face, rescapé puis évadé et qui s'est réfugié au Mexique. Il dissimule sous différents masques – suivant les circonstances – la face atrocement mutilée, et notamment pratiquement privée de nez, qu'il a gardée après son affrontement tragique avec Blueberry. Ses cheveux, depuis cette aventure, sont devenus complètement blancs. […] Le masque pourrait éventuellement [arborer], grâce à une découpe de cuir blanc, tranchant sur le cuir noir, une tête de mort souriante. »

BLUEBERRY –" !!! "

LA VOIX OFF –" MAINS EN L'AIR!
RETOURNE-TOI,LEN-
-TEMENT! "

SECONDE MOITIE DE CASE 1 et CASE 2 et PREMIERE MOITIE DE CASE 3 (DEUX CASES, EN TOUT)

DESSIN : Un homme vient de sortir de la pièce voisine plongée dans l'obscurité. C'est Angel Face, portant son masque de cuir, qui dissimule les traces de sa terrible brûlure à la face.

Il braque son Colt,sur Blueberry, tout en versant le contenu de la cafetière ,qui était sur la table sur le visage d'Abe, assommé et allongé sur le sol, et qui s'ébroue,brutalement réveillé par le café encore chaud.

Blueberry se retourne lentement, mains en l'air, découvrant avec stupeur l'individu masqué qui , d'une voix haineuse et excitée, le raille pour sa naïveté.

ANGEL FACE (à Blueberry) –" ! Tu t'es
jeté tête baissée,
dans le piège,
sucker! Je te guet-
-tais,
à côté! "

ANGEL FACE (deuxième phylac-
-tère, à Abe) –" Debout,Abe! Délie
tes copains! "

BLUEBERRY (pensé) –" !!!...Ce...CETTE
VOIX ?...OH!...CE RAT
EST MASQUE
DE CUIR! "

(parlé) –"
–" Hé? C'est

–" Hé? C'est carnaval?
Laisse-moi deviner!
T'es déguisé en ~~bla-~~
~~-gue à tabac! "~~ punching-ball!

SECONDE MOITIE de CASE 3

DESSIN : Plan américain de Angel Face, qui tout en te-
-nant son Colt , braqué sur Blueberry , commence à détacher de sa main libre, les cordons de cuir, qui derrière sa tête, maintiennent en place ~~le masque d~~

Le manuscrit de Charlier appelle Angel Face « Leather Face », mais une note ajoutée en rouge dans la marge indique « à remplacer par le prénom d'Angel Face si tu le retrouves », ce qui montre que Charlier ne se souvient pas bien de ce qu'il avait écrit, et qu'il n'a pas les albums sous la main. D'ailleurs, lorsqu'il n'écrit pas sur sa machine, c'est souvent parce qu'il est en déplacement. Toujours est-il qu'il renonce temporairement à cette idée, probablement en réalisant qu'il a déjà recouru à ce procédé en 1970 avec le capitaine Ted Mulligan dans *L'Homme au masque de cuir* (le 37e tome de *Buck Danny*). « Une fois que j'ai terminé un épisode, je m'en détache complètement. Je n'ai jamais pu, sauf nécessité absolue, relire un de mes albums. Et c'est à tel point d'ailleurs que, d'une histoire à l'autre, j'oublie complètement ce que j'ai raconté. [...] Il m'est arrivé d'avoir écrit trois ou quatre pages que je trouvais excellentes et puis de me dire que j'avais déjà lu ça quelque part. Je vérifiais un peu et je m'apercevais que j'avais déjà utilisé l'idée. »

Même s'il a renoncé à réemployer Angel Face dans cet épisode, Charlier n'a pourtant pas abandonné l'idée de l'affubler d'un masque de cuir lors de son retour ultérieur. Ainsi le scénario du *Bout de la piste* fait apparaître à la planche 24A Angel Face portant le masque de cuir : « Angel Face, [...] tout en tenant son colt, braqué sur Blueberry, commence à détacher, de sa main libre, les cordons de cuir qui, derrière sa tête, maintiennent en place son masque de cuir, qui lui couvre toute la face et le crâne, à l'exception de deux trous pour les yeux, un pour la bouche et deux pour les narines ». Mais Jean Giraud semble en avoir décidé autrement, exposant le personnage immédiatement en pleine lumière.

Pages 20 et 21 : extrait du scénario de Jean-Michel Charlier, planche 24A du Bout de la piste, *en regard de la demi-planche dessinée par Jean Giraud, où Angel Face avance sans masque...*

Inédits et repentirs

Un autre exemple de case refaite par Jean Giraud, sur la première planche de *La Dernière Carte* : en haut, la version avant correction, en bas la version telle que parue dans l'album. Le choix de refaire la case était probablement lié à un souci de clarté. En passant d'un point de vue éloigné et sur le côté à un point de vue plus rapproché et dos aux protagonistes qui se dirigent vers la Casa Roja, les personnages gagnent en présence dans la case, et l'effervescence de la maison close mexicaine devient plus prégnante. À noter, les bulles de dialogues qui s'accumulent en haut de la case dans la version album – dont les queues de bulles ne sont pas vraiment reliées au bon personnage (la première est manifestement dite par McClure, l'expression « mille putois » lui étant caractéristique, alors que la queue de bullle est dirigée vers Red Neck) –, procédé qui permet de dégager la vue des trois cavaliers au premier plan, et de la Casa Roja à l'arrière-plan.

Annonce de La Tribu fantôme, *parue dans L'Écho des savanes n° 80 du 1er septembre 1981.*

JEAN-MICHEL CHARLIER

lieutenant BLUEBERRY

JEAN GIRAUD

ACCUSÉ DE DÉTOURNEMENT DE FONDS ET DE TENTATIVE D'ASSASSINAT SUR LA PERSONNE DU PRÉSIDENT DES ÉTATS-UNIS, BLUEBERRY A TROUVÉ REFUGE CHEZ LES APACHES DE COCHISE QUI L'ONT BAPTISÉ "TSI-NA-PAH". A LA TÊTE DE JEUNES GUERRIERS APACHES, IL VIENT UNE NOUVELLE FOIS D'ÉCHAPPER À L'ARMÉE ET FONCE VERS LA RÉSERVE DE SAN CARLOS OÙ DÉPERISSENT COCHISE ET LE RESTE DE LA TRIBU. BIENTÔT, TOUTE LA CAVALERIE U.S SE MET À LA RECHERCHE DE..

LA TRIBU FANTOME

34

Page de résumé et d'introduction, reprenant le visuel de page de garde, de La Tribu fantôme *parue dans* L'Écho des savanes *n° 81 du 1er octobre 1981.*

La Tribu fantôme

LA RÉSERVE DE SAN CARLOS, AUX CONFINS DE L'ARIZONA ET DU NOUVEAU-MEXIQUE. UN DÉSERT SAUVAGE DE 15000 KILOMÈTRES CARRÉS, CERNÉ, ISOLÉ DE TOUTES PARTS, PAR D'ABRUPTES SIERRAS... TORRIDE L'ÉTÉ, POLAIRE L'HIVER UN ENFER ET UN MOUROIR POUR LES HOMMES ROUGES.
UNE SQUAW ET SON BÉBÉ SONT ENCORE MORTS CETTE NUIT. NOUS MANQUONS DE COUVERTURES, ET MON PEUPLE VIT DEPUIS UNE LUNE DE QUELQUES POIGNÉES DE MAÏS ET DE HARICOTS!..
MES HOMMES AUSSI, COCHISE! ET PAR LA FAUTE DES TIENS!
C'EST LÀ, DEPUIS DES MOIS, QUE COCHISE LES SQUAWS, LES PAPOOSES ET LES VIEILLARDS DE LA TRIBU NAVAJO DÉPÉRISSENT LENTEMENT DE FAIM ET DE FROID, SOUS L'ÉTROITE SURVEILLANCE D'UN ESCADRON DU 2e DE CAVALERIE... CE MATIN-LÀ...
L'INTENDANCE N'A PLUS LE TEMPS DE NOUS RAVITAILLER. TOUTE L'ARMÉE EST SUR LE PIED DE GUERRE... AUX TROUSSES DE TES DAMNÉS GUERRIERS!.. FAIS-LEUR DIRE DE SE RENDRE ET TOUT IRA MIEUX...
OU ALORS FAITES COMME NOUS... CHASSEZ!..
CET HIVER EST MAUVAIS: LE GIBIER EST RARE! ET LES TUNIQUES BLEUES ONT DES FUSILS, NOUS PAS...
...ET PUIS LES MIENS SONT TROP VIEUX... OU TROP JEUNES POUR TRAQUER LE...
COMMANDANT! MESSAGE URGENT DE FORT BOWIE... LES NAVAJOS ONT ÉCHAPPÉ À NOS TROUPES! NUL NE SAIT OÙ ILS SONT!..

(*) VOIR L'ÉPISODE PRÉCÉDENT: "LA LONGUE MARCHE"

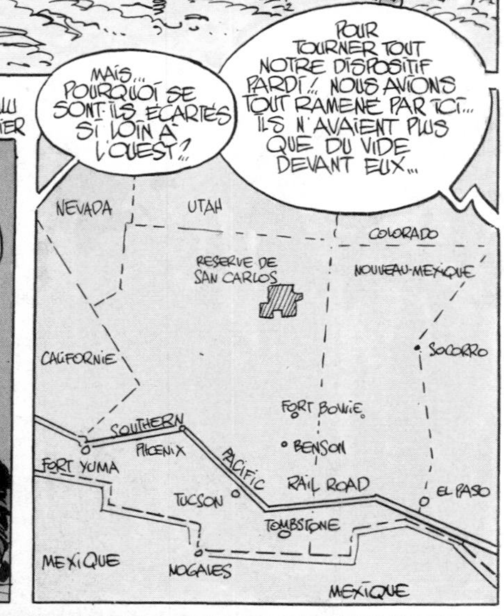

EFFECTIVEMENT, LA COLONNE DU GÉNÉRAL MILLER, QUI ASSIÉGEAIT "DEAD HORSE MESA" ET QUI A ÉTÉ RIDICULISÉE PAR LA SPECTACULAIRE ÉVASION DE BLUEBERRY ET DES NAVAJOS, ET QUI ENSUITE AVAIT FAIT MOUVEMENT (1) VERS LE SUD, POUR FERMER UN DES CÔTÉS DE LA NASSE OÙ L'ON AVAIT ESPÉRÉ ENFERMER LES GUERRIERS DE VITTORIO, A DE NOUVEAU FAIT DEMI-TOUR ET REMONTE UNE FOIS DE PLUS VERS LE NORD...

(1) VOIR "NEZ CASSÉ" ET "LA LONGUE MARCHE"

AU MÊME INSTANT, SUR UNE DES HAUTEURS QUI DOMINENT LA RÉSERVE...

HOO!.. L'INDIENNE!..

PÈRE ! TU VIVRAS ! ET LIBRE !.. VITTORIO, TSÏ-NA-PAH ET TOUS LES BRAVES SONT LÀ... ILS NOUS ATTENDENT À DEUX HEURES D'ICI !..
CHINI OUBLIE-T-ELLE QU'IL N'Y A ICI QUE DES VIEUX, DES SQUAWS ET DES ENFANTS ?..
TSÏ-NA-PAH ET VITTORIO ENSEMBLE ! ENFIN !
...ILS ONT DES CHEVAUX ET DE LA NOURRITURE...

...BEAUCOUP SONT MALADES, ÉPUISÉS... ET LES TUNIQUES BLEUES SONT SUR LEURS GARDES !
ASSEZ !

DEPUIS QUAND DEUX HEURES DE MARCHE EFFRAIENT-ELLES DES NAVAJOS, MÊME À BOUT DE FORCES... COCHISE FUIRA, À GENOUX S'IL LE FAUT... AU MOINS MOURRA-T-IL LIBRE, EN LUTTANT JUSQU'À SON DERNIER SOUFFLE... J'AI DIT...

NOUS PARTIRONS PAR PETITS GROUPES QUAND LA NUIT SERA TOTALE... LES PLUS FAIBLES D'ABORD !
ET LES SOLDATS ! ILS ONT EXIGÉ QUE LE CAMP RESTE ÉCLAIRÉ PAR NOS FEUX JUSQU'À L'AUBE...

LA MAGIE NOUS OBTIENDRA L'AIDE DU GRAND ESPRIT...

LES BLANCS NE DOIVENT RIEN SOUPÇONNER. JE VAIS PRÉVENIR LES SQUAWS DE TOUT PRÉPARER EN SECRET ! ELLES N'EMPORTERONT QUE VÊTEMENTS ET COUVERTURES... IL FAUDRA MARCHER VITE !
VITTORIO ET LES GUERRIERS APPROCHERONT AVEC LES CHEVAUX AUSSI PRÈS QU'ILS POURRONT SANS RISQUER D'ÊTRE REPÉRÉS...
TSÏ-NA-PAH ET SES HOMMES SE GLISSERONT JUSQU'AU CAMP POUR GUIDER LES GROUPES DE FUGITIFS !
PLUS TARD...

AU MÊME INSTANT AU CAMP DE LA RÉSERVE
YAAEAHH !
YAAAEAAAA !
5

"LITTLE SNAKE" NE PEUT PLUS MARCHER, ET IL N'EST PAS LE SEUL!.. IL FAUDRAIT DES TRAVOIS POUR LES TRANSPORTER!..
LES TRAVOIS SONT TROP BRUYANTS! NOS FRÈRES LES PLUS VALIDES PORTERONT "LITTLE SNAKE"
NON COCHISE!

LES ÊTRES TROP VIEUX RESTERONT POUR ENTRETENIR LES FEUX ET PROTÉGER LA FUITE DE LA TRIBU.. QUE COCHISE LEUR LAISSE LA FIERTÉ DE LUTTER AINSI UNE DERNIÈRE FOIS CONTRE L'HOMME BLANC!

BLAST IT!.. CE DAMNÉ BRAILLARD VA-T-IL ENCORE HURLER LONGTEMPS... VOICI DEUX HEURES QUE ÇA DURE!..
ENCORE UNE DE LEURS SORCELLERIES, MAJOR!.. MAIS CE N'EST PAS LE PLUS INQUIÉTANT!..

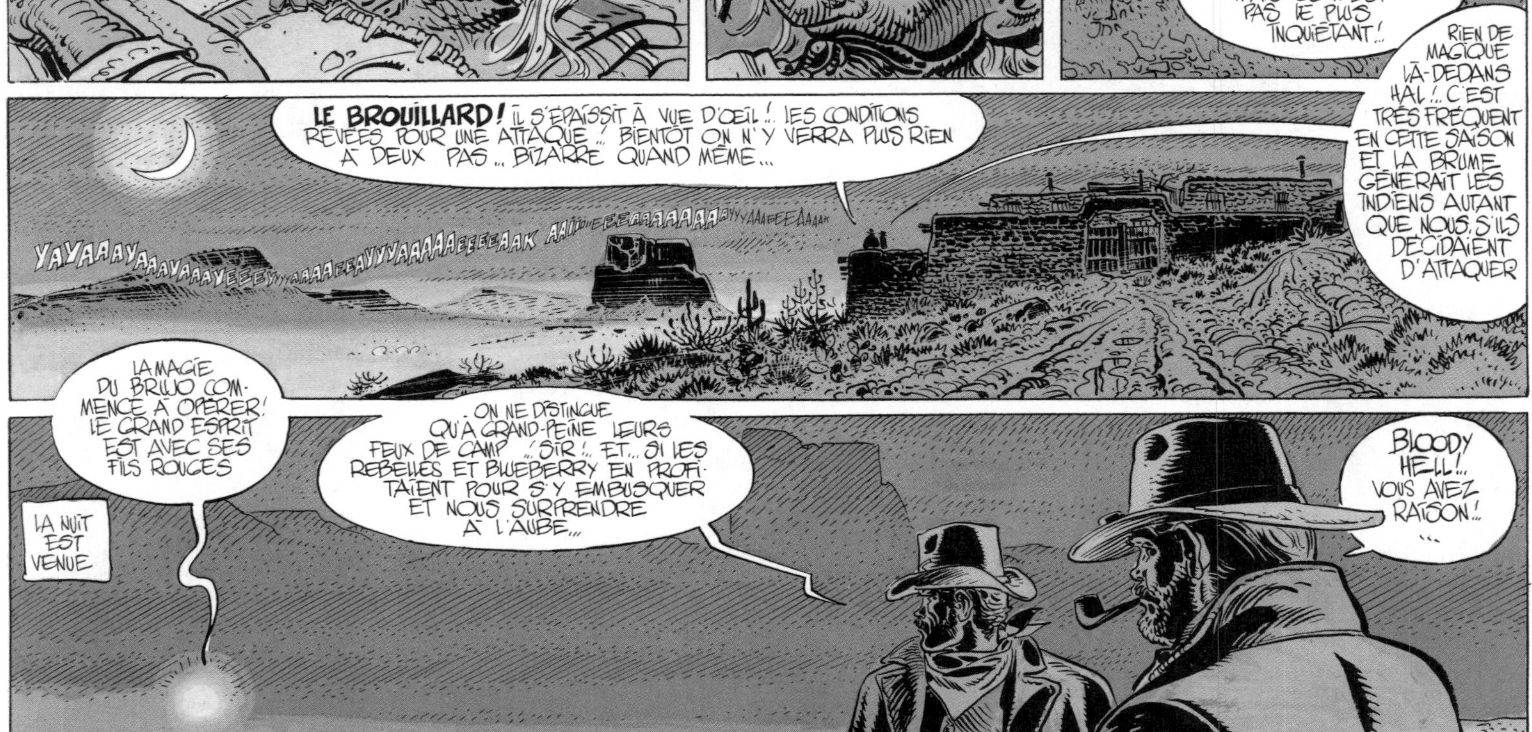
LE BROUILLARD! IL S'ÉPAISSIT À VUE D'OEIL!.. LES CONDITIONS RÊVÉES POUR UNE ATTAQUE!.. BIENTÔT ON N'Y VERRA PLUS RIEN À DEUX PAS... BIZARRE QUAND MÊME...
RIEN DE MAGIQUE LÀ-DEDANS HAL!.. C'EST TRÈS FRÉQUENT EN CETTE SAISON ET LA BRUME GÊNERAIT LES INDIENS AUTANT QUE NOUS, S'ILS DÉCIDAIENT D'ATTAQUER
LA MAGIE DU BRUJO COMMENCE À OPÉRER! LE GRAND ESPRIT EST AVEC SES FILS ROUGES
LA NUIT EST VENUE
... ON NE DISTINGUE QU'À GRAND-PEINE LEURS FEUX DE CAMP ... SIR!.. ET... SI LES REBELLES ET BLUEBERRY EN PROFITAIENT POUR S'Y EMBUSQUER ET NOUS SURPRENDRE À L'AUBE...
BLOODY HELL!.. VOUS AVEZ RAISON!...

CEPENDANT
SI J'AI BIEN ÉVALUÉ LA DISTANCE NOUS NE SOMMES PLUS TRÈS LOIN DU CAMP...
TSI-NA-PAH RIEN VOIR DANS BROUILLARD PAREIL NAVAJOS!.. COMMENT LUI ÊTRE SÛR QUE NOUS TOUJOURS DANS BONNE DIRECTION!..
AVEC ÇA!.. C'EST UN TRUC DES VISAGES PÂLES! ÇA S'APPELLE UNE BOUSSOLE ET ÇA INDIQUE LA DIRECTION DU NORD!.. TIENS... REGARDE L'AIGUILLE!.. J'AI PASSÉ UNE HEURE, CET APRÈS-MIDI, À CALCULER NOTRE ROUTE AU POIL PRÈS... ET MAINTENANT: SILENCE!..
MAGIE DES BLANCS MAINTENANT AVEC NAVAJOS!

AU MÊME INSTANT, AU FORT.
VOUS... VOUS AVEZ BIEN DIT: NOUS INSTALLER AU MILIEU DU CAMP DE COCHISE, SIR?
POUR PRÉVENIR TOUTE TRAÎTRISE, SERGENT!.. ET TÂCHEZ D'AVOIR LES OREILLES GRANDES OUVERTES!..
6

IL N'Y A QUE DES FEMMES ET DES VIEILLARDS SANS ARMES... NOUS NE SOMMES QU'À CINQ CENTS PAS... AU MOINDRE SIGNE SUSPECT : TIREZ! NOUS SERONS LÀ DANS LA MINUTE QUI SUIT !
POUR INDIQUER QUE TOUT VA BIEN, McGUIRE SONNERA DU CLAIRON TOUTES LES DEMI-HEURES !
ET DIX MINUTES PLUS TARD...
LES SQUAWS ET LES PAPOOSES SONT PRÊTS À PARTIR !.. ILS ATTENDENT DANS LES HOGANS ET... OH!?!
DES TUNIQUES BLEUES... QUE VEULENT-ILS ?
ENFIN !.. GOOD LORD, SUR DEUX CENTS YARDS ON S'EST ÉGARÉS TROIS FOIS !
BOUGEZ PAS, VOUS AUTRES! ON VIENT JUSTE VOUS TENIR COMPAGNIE POUR LA NUIT! McGUIRE! UNE SONNERIE POUR SIGNALER AU FORT QU'ON EST BIEN ARRIVÉS !..
TSI-NA-PAH!.. IL VA TOMBER DANS LE PIÈGE !..
TARATAT
?
DAMN IT!.. UN... UN CLAIRON! NOUS SOMMES TOMBÉS SUR LE FORT AU LIEU DU CAMP... J'AI DÛ FAIRE UNE ERREUR... À MOINS QUE...
À MOINS QU'ILS N'AIENT FAIT GARDER LE CAMP... EN CE CAS J'AI CE QU'IL FAUT POUR RÉGLER LE PROBLÈME !..
ÉCOUTE !.. VOIX NAJAVOS PERCER BROUILLARD
VOILÀ QUI CONFIRME CE QUE... HÉ !.. LE SIGNAL DE CHINI !
TIOO ! TIOU ! TIOOO !
TIOO ! TIOOO ! TIOUUU !..
QUELQUES SECONDES PLUS TARD
CHUT !.. C'EST BIEN MOI !.. IL Y A SIX SOLDATS !.. GROUPÉS PRÈS DU FEU... UNE BONNE CIBLE !.. LES ANCIENS PARLENT FORT POUR MASQUER VOTRE APPROCHE !.. PAR ICI !.. JE VAIS VOUS GUIDER !..
CHINI !?
GIR

LES VOILÀ ! LA CHANCE EST AVEC NOUS !.. LA CHALEUR DISSIPE LE BROUILLARD AUTOUR DU FEU !

McGUIRE !.. VOILÀ PRÈS D'UNE DEMI-HEURE QU'ON EST LÀ...
VISEZ LA NUQUE !.. OU ENTRE LES YEUX !..

NATCHO !.. LES ARCS !.. ET LES FLÈCHES À ASSOMMER LE GIBIER... CHACUN SON HOMME... ON TIRE À MON SIGNAL !

GO !
OK... J'ENVOIE UN COUP DE BIGNOU, C'EST L'HEURE

TOMMMMM
?
!?
!?

OUCH !
THUD
TOOOM
HEY !..
DOOM
HOOOOTCH !
TCHOOD
GIR

ET QUELQUES INSTANTS PLUS TARD.
MALGRÉ SA PEAU BLANCHE, TSI-NA-PAH EST DÉSORMAIS UN FILS POUR COCHISE...
CHEF COCHISE, TSI-NA-PAH EST FIER... MAIS IL FAUT NOUS PRESSER !.. NATCHO ! ON ENFILE LES UNIFORMES DES PRISONNIERS ! CHINI ! RASSEMBLE UN PREMIER GROUPE, VITE !..
C'EST INUTILE ! TOUT EST PERDU !

LE SOLDAT QUI DEVAIT SOUFFLER DANS CETTE CORNE EST SANS CONNAISSANCE. C'EST UN SIGNAL POUR CEUX DU FORT...

TOUTES LES DEMI-HEURES, JE SAIS, J'AI ENTENDU... HMM... VOYONS SI JE SAIS ENCORE ME SERVIR DE CET ENGIN...
HEY !.. AUTREFOIS J'ÉTAIS UN VRAI CHAMPION !

RATARATATARATA

CEPENDANT, AU FORT...
RATARATA
PRESQUE CINQ MINUTES DE RETARD ! LE DIABLE ÉTOUFFE CE FLEMMARD DE MC GUIRE !..
HMM... EN TOUT CAS, IL EST EN NET PROGRÈS, SIR... PAS UN SEUL COUAC !..

ET BIENTÔT, DANS UNE FIÈVRE INTENSE, LA TRIBU COMMENCE À ORGANISER SA FUITE.
O.K... CHAQUE GROUPE PARTIRA DE CINQ EN CINQ MINUTES AVEC UN GUERRIER COMME GUIDE ! ÉCOUTEZ CES HULULEMENTS, C'EST LE SIGNAL QUI VOUS GUIDERA...
ET TOI... QUAND PARS-TU ?..

CHINI ! JE RESTERAI ICI JUSQU'À L'AUBE AVEC NATCHO À CAUSE DE CES MAUDITS APPELS DE CLAIRON ! QUE VITTORIO NE NOUS ATTENDE PAS ET PRENNE LE PLUS D'AVANCE POSSIBLE !
MAINTENANT... EN ROUTE !.. ET SILENCE ABSOLU !..
IL SERA FAIT COMME L'A DIT TSI-NA-PAH !

SILENCIEUX SUR LEURS MOCASSINS, LES FUGITIFS, EN LONGUES LIGNES, QUITTENT LE CAMP PROGRESSIVEMENT... AUSSITÔT HAPPÉS PAR LE BROUILLARD... EN TÊTE SONT PARTIS LES PLUS FAIBLES.

TANDIS QUE, PONCTUELLEMENT, DE DEMI-HEURE EN DEMI-HEURE, BLUEBERRY LANCE UNE RASSURANTE SONNERIE DE CLAIRON EN DIRECTION DU FORT...
DAMN IT ! PAS MOYEN DE FERMER L'OEIL !
... AU DIABLE LE MAJOR ET SES IDÉES DE DINGUE !
PAS QUESTION DE RESTER AVEC MOI, CHINI... À L'AUBE, QUAND LA BRUME SE LÈVERA, NATCHO ET MOI EFFACERONS LES TRACES DE VOTRE FUITE ! OK... IL EST TEMPS DE PARTIR !
QUE TSI-NA-PAH SE RASSURE !
LE GRAND ESPRIT A ACCEPTÉ LA MAGIE DE L'HOMME-MÉDECINE ! QUAND LE SOLEIL AURA DISSIPÉ LE BROUILLARD, C'EST LUI QUI EMPÊCHERA LES VISAGES PÂLES DE LIRE LA PISTE DES NAVAJOS !
LE GRAND ESPRIT BROUILLERA LA TRACE DE SES FILS ROUGES ET EMPÊCHERA LES LONGUES-LAMES DE LES POURSUIVRE ! J'AI DIT !
POSSIBLE, MAIS J'AI BIEN L'INTENTION DE DONNER UN COUP DE MAIN AU GRAND ESPRIT, MON FRÈRE !
PLUS TARD
SEKAHEPEWA TOTONINO ET LITTLE SNAKE REFUSENT-ILS TOUJOURS DE FUIR AVEC NOUS ?
ILS MOURRAIENT AVANT DE REJOINDRE VITTORIO ! L'HEURE EST PROCHE OÙ ILS ENTONNERONT LEUR CHANT DE MORT ! ILS RESTERONT ICI POUR VEILLER ET PRIER AVEC LEURS SQUAWS !
IL EST DEUX HEURES DU MATIN QUAND AVEC LE DERNIER GROUPE DE FUGITIFS COCHISE, CHINI ET LE CHAMAN QUITTENT LE CAMP DÉSERTÉ !
QUE VITTORIO LAISSE UN GUERRIER AVEC DES CHEVAUX CACHÉS DANS CANYON ROJO ! NATCHO ET MOI VOUS REJOINDRONS LE PLUS VITE POSSIBLE !
PLUS TARD, AU FORT
DÉJÀ DEBOUT, MAJOR ? IL EST À PEINE QUATRE HEURES !
CE CRÉTIN DE McGUIRE LÀ-BAS, QUI SE CROIT COMIQUE, VIENT DE SONNER LE RÉVEIL ! OUF ! LA NUIT AURA ÉTÉ CALME, MALGRÉ TOUT, ET... TIENS... LE VENT SE LÈVE ENFIN...

AU MÊME INSTANT À DEUX HEURES DE MARCHE DE LA COCHISE, CHINI ET LA DERNIÈRE BANDE DE FUGITIFS, GUIDÉS PAR LES APPELS DE CHOUETTE, VIENNENT DE REJOINDRE VITTORIO ET LE RESTE DES GUERRIERS
TOUS À CHEVAL! VITE!. VITTORIO ET LES HOMMES IRONT À PIED!. AVANT QUE SE LÈVE LE JOUR, IL FAUT QUE NOUS SOYONS À L'ABRI DANS LA SIERRA...
VITTORIO! ENFIN!..
ET, PLUS TARD, ALORS QUE L'AUBE SE LÈVE...
NATCHO! IL FAUT PARTIR MAINTENANT!. AVANT UNE HEURE, CE DAMNÉ VENT AURA COMPLÈTEMENT BALAYÉ LE BROUILLARD!
ÇA, MAGIE DE MIGUELITO!
BLAST IT, SIR!. CETTE POUSSIÈRE EST PIRE QUE LE BROUILLARD!. IMPOSSIBLE DE GARDER LES YEUX OUVERTS!
AH ÇA!. JAMAIS VU PAREILLE TEMPÊTE SUCCÉDER AUSSI BRUTALEMENT À UNE PÉRIODE DE BROUILLARD ET DE CALME PLAT! C'EST... C'EST DE LA FANTASMAGORIE!..
MAIS AU MOINS, AVEC CE TEMPS, AUCUNE ATTAQUE À CRAINDRE!. HAL! ENVOYEZ UNE PATROUILLE AVEC UN CLAIRON POUR RELEVER DOUGHERTY ET SES HOMMES
ENTRETEMPS
REGARDE!. L'ESPRIT DU VENT SOULÈVE LA POUSSIÈRE ET EFFACE TOUTES NOS TRACES!
MA PAROLE, JE VAIS FINIR PAR Y CROIRE!..
À LA MÊME HEURE...
LE VENT DE SABLE EMPÊCHERA LONGTEMPS LES LONGUES-LAMES DE SAN CARLOS DE SE LANCER À NOTRE POURSUITE!
COCHISE EST INQUIET!. IL SAIT QU'UNE ARMÉE ACCOURT À NOTRE RENCONTRE POUR NOUS BARRER LA ROUTE DE LA FRONTIÈRE!
CEPENDANT
DOUGHERTY!?
MMB!

DEUX HEURES DURANT, BLUEBERRY ET NATCHO PROGRESSENT À LA BOUSSOLE À TRAVERS UN OCÉAN DE POUSSIÈRE, ET ENFIN !..
LÀ! CHUKA AVEC PONIES! PETITE FLÈCHE MAGIQUE PAS MENTIR!
HELL!.. MÊME AVEC LA BOUSSOLE C'EST UNE VRAIE CHANCE DE LUI TOMBER DESSUS! LE GRAND ESPRIT EST DÉCIDÉMENT AVEC NOUS!

ENTRETEMPS
C'EST LA FAUTE DE CE DAMNÉ BROUILLARD, SIR! CES COYOTES NOUS ONT TIRÉS À BOUT PORTANT... INVISIBLES À DIX YARDS...
LE RAID ÉTAIT MENÉ PAR CE RENÉGAT...
HM... UNE CHANCE QU'IL AIT ÉTÉ LÀ, SINON ON SERAIT TOUS ÉGORGÉS ET SCALPÉS À L'HEURE QU'IL EST!
FAMEUX CLAIRON EN TOUT CAS!
BLUEBERRY! TOUJOURS LUI!.. MILLE DÉMONS!

HA!.. FAITES SELLER TOUS LES CAVALIERS! JE VEUX QU'ILS SOIENT TOUS PRÊTS À ENTAMER LA POURSUITE DÈS QU'ON POURRA SORTIR SANS ÊTRE AVEUGLÉ NI ÉTOUFFÉ!
DE QUEL CÔTÉ? AUCUN ESPOIR QUE SUBSISTE UNE SEULE TRACE!

ET LES VIEUX ÉCLOPÉS RAMENÉS DU CAMPEMENT? ILS SAVENT AU MOINS PAR OÙ SONT PARTIS LEURS CONGÉNÈRES!
ILS NE DIRONT RIEN! MÊME SI VOUS CONTINUEZ À LES LAISSER LÀ, SANS BOIRE NI MANGER JUSQU'À LA FIN DES TEMPS!
12A

CEPENDANT!
NOUS POUVOIR GALOPER MAINTENANT! ICI, SEULEMENT ROCHERS, POUSSIÈRE FINIE.
HM... AUPARAVANT... IL VA FALLOIR S'OCCUPER DES FUITES!

?
DE LA CRÊTE, LÀ-HAUT, QUAND LA VISIBILITÉ SERA REVENUE, NOUS POURRONS SURVEILLER LE FORT!.. SON CHEF VA SÛREMENT TENTER D'ALERTER L'ARMÉE DES TUNIQUES BLEUES QUI REMONTE DU SUD POUR NOUS BARRER LA ROUTE

CINQ HEURES PLUS TARD, EN EFFET, À SAN CARLOS
SIR!.. LE VENT TOMBE!
ENFIN! SERGENT DOUGHERTY, PRENEZ CE MESSAGE ET FONCEZ JUSQU'À GLOBE! CREVEZ VOTRE CHEVAL S'IL LE FAUT MAIS SOYEZ-Y AVANT LA NUIT!
12B

GLOBE, SIR ?
MAIS... LA COLONNE MILLER ARRIVE DU CÔTÉ OPPOSÉ !.. SELON MOI ELLE N'EST PAS À PLUS DE DEUX JOURS DE MARCHE D'ICI ! ELLE DEVRAIT ATTEINDRE PIMA CE SOIR...
CE TÉLÉGRAMME AUSSI, HAL !.. IL Y A UN TÉLÉGRAMME À GLOBE ET UN À PIMA !.. MÊME SI LA LIAISON N'EST PAS DIRECTE ET LA RETRANSMISSION COMPLIQUÉE, MILLER SERA ALERTÉ DÈS CETTE NUIT !..
BIEN JOUÉ SIR, BLUEBERRY ET SES SAUVAGES VONT AVOIR UNE JOLIE SURPRISE !
D'ICI LÀ, HAL ! FAITES SORTIR QUATRE PATROUILLES ! QUE CHACUNE RATISSE UN SECTEUR DE 90° À PARTIR DU CAMP ABANDONNÉ ! C'EST BIEN LE DIABLE SI L'UNE D'ELLES NE TROUVE PAS UN INDICE QUELCONQUE !
DIX MINUTES PLUS TARD
HA HAHA !.. LE TÉLÉGRAPHE EST NOTRE ARME SECRÈTE ET ABSOLUE CONTRE LA MOBILITÉ DES INDIENS, HAL !
HMM... IL Y EN A AU MOINS DEUX QUI NE BOUGERONT PLUS JAMAIS, SIR ! DEUX VIEILLARDS VIENNENT DE RENDRE LEUR ÂME AU GRAND ESPRIT, EN BAS DANS LA COUR !
GOSH ! VOILÀ BIEN CE QUE JE PRÉVOYAIS ! CE CAVALIER TSOVÉ !.. SÛREMENT UN COURRIER !.. MM... BIZARRE !.. POURQUOI FILE-T-IL VERS L'OUEST ?
À CHEVAL ! NATCHO !.. CHUKA !.. IL VA FALLOIR INTERCEPTER CE CAVALIER SANS ÊTRE VU DES LONGUES-LAMES QUI PATROUILLENT DANS LA PLAINE !
LES TROIS CAVALIERS SE LANCENT LE LONG DE LA LIGNE DE CRÊTES QUI CERNE LA SAN CARLOS VALLEY !
IMPOSSIBLE DE DESCENDRE À DÉCOUVERT ! NOTRE SEULE CHANCE EST DE CONTOURNER LE DÉSERT PAR LES CRÊTES... ET DE COINCER LE COURRIER DANS LE DÉFILÉ, JUSTE AVANT GLOBE !
CEPENDANT
GÉNÉRAL... NOUS SOMMES À À PEINE UNE HEURE DE PIMA !..
MAIS À QUEL PRIX !.. LES HOMMES SONT ÉPUISÉS ! ILS TIENNENT À PEINE DEBOUT !
NOUS SOUFFLERONS LÀ-BAS ! SEULS LES CAVALIERS IRONT RENFORCER SAN CARLOS... PIMA EST LA CLÉ DES MONTS GILA ET SANTA TERESA, GENTLEMEN ! UNE CLÉ QUI VERROUILLE LES TROIS SEULES PASSES QUI PERMETTENT DE FUIR LA RÉSERVE VERS L'EST OU LE SUD !
À MOINS D'ABANDONNER LEURS CHEVAUX, MÊME LES NAVAJOS NE PEUVENT FRANCHIR AILLEURS LA SIERRA !
GIR

AUX ABORDS DE SAN CARLOS, LES RECONNAISSANCES BATTENT EN VAIN LA VALLÉE DEPUIS DES HEURES
TOUJOURS RIEN ! PAS UNE EMPREINTE ! PAS MÊME UN CROTTIN !
PAS ÉTONNANT APRÈS CETTE DAMNÉE TEMPÊTE DE SABLE !
NOUS NE SOMMES PAS MÊME FICHUS DE SAVOIR DANS QUELLE DIRECTION A FUI TOUTE CETTE VERMINE ROUGE !
AU MÊME INSTANT
HELL ! AVEC LE DÉTOUR QU'IL NOUS A FALLU FAIRE, LE COURRIER NOUS A PRIS UN BON DEMI-MILE D'AVANCE... NOUS NE LE RATTRAPERONS PLUS !
À MOINS QUE...
NATCHO ! GRIMPE EN CROUPE DE CHUKA ! JE PRENDS TON CHEVAL !!! VOUS ME SUIVREZ SUR L'AUTRE AUSSI VITE QUE VOUS POURREZ !
ET BIENTÔT
PASSANT ALTERNATIVEMENT D'UN CHEVAL SUR L'AUTRE, BLUEBERRY ÉCONOMISE AINSI LEUR FORCE ET DOUBLE LA DURÉE DE LEUR TEMPS DE GALOP
DAMN ! UN VRAI NUMÉRO DE CIRQUE
...VAIS FINIR PAR ME ROMPRE LE COU !
JUSTE À TEMPS ! BON SANG, CETTE PENTE ! UN VRAI MUR !...
OUF... PLUS QUE CINQ MILES ! ENCORE UN PEU DE COURAGE, BETSY ! IL FAUT TENIR L'ALLURE JUSQU'À GLOBE !
MAIS DÉJÀ, BLUEBERRY, JOUANT LE TOUT POUR LE TOUT, FOUAILLE SA MONTURE ET LA LANCE SUR LA TERRIBLE PENTE !
HELL ! UN... SOLDAT ! D'OÙ SORT-IL CELUI-LÀ ? JE... HEYYYyy !!! BLUEBERRY !! ENCORE CE DÉMON !

LÂCHE CETTE PÉTOIRE ! HALTE ! NE M'OBLIGE PAS À TE TUER !
C'EST MOI QUI VAIS TE DESCENDRE, FUMIER ! ET RAMASSER LE JACKPOT DU MÊME COUP !
DAMN ! JE NE PEUX QUAND MÊME PAS DESCENDRE CET ABRUTI !
BLAW !
MONTRE-TOI, RENÉGAT !
BLAW !
ESPÈCE DE ?!
ARGH !!?
TROP OCCUPÉ À DÉCHARGER SON ARME, DOUCHERTY EST INCAPABLE DE RÉAGIR À TEMPS ET LA LONGE QUI RELIE LES DEUX CHEVAUX VIENT LE PRENDRE SOUS LE MENTON...
...ET QUELQUES SECONDES PLUS TARD
ÇA IRA... IL EST SIMPLEMENT BIEN SONNÉ.

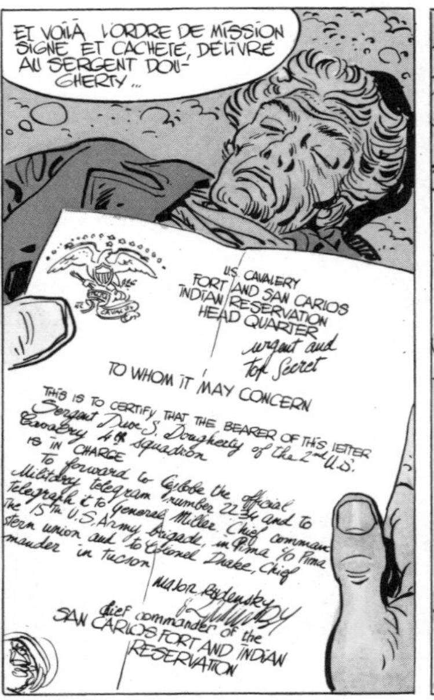

(1) POUPÉE NAVAJO

CE MÊME SOIR DANS LA SIERRA AUX APPROCHES DE PIMA...
NOTRE MARCHE EST TROP LENTE!.. LES TUNIQUES BLEUES NOUS ONT DEVANCÉS!.. ILS SONT À PIMA ET NOUS BARRENT LA ROUTE!
TOUTES LES PASSES SONT SURVEILLÉES... IMPOSSIBLE DE LES FORCER...
ET MÊME SI LA TRIBU Y PARVENAIT ELLE NE POURRAIT FUIR ASSEZ VITE!.. LES LONGUES-LAMES TIENNENT LA PLAINE...
NE PEUT-ON PASSER AILLEURS?
PAS AVEC LES PONIES! ET À CONDITION D'ABANDONNER AUSSI SQUAWS ET PAPOOSES... TOUS CEUX QUE NOUS AVONS DÉLIVRÉS!..
IL N'EN EST PAS QUESTION!
PATIENCE!.. TSI-NA-PAH VA NOUS OUVRIR LA ROUTE!
CEPENDANT...
ENFIN!.. PIMA ACCUSE RÉCEPTION DE VOTRE CÂBLE SERGENT!.. DÉSOLÉ POUR L'ATTENTE MAIS LA LIAISON N'EST PAS DIRECTE D'ICI À LÀ-BAS!
VOUS ÊTES NOUVEAU À SAN CARLOS?.. HM... BIZARRE JE CONNAIS TOUS LES GARÇONS DU FORT... ET... POURTANT... J'AI L'IMPRESSION DE VOUS AVOIR DÉJÀ VU QUEK'PART!..
SUR CE MUR PEUT-ÊTRE?!
SUR LE... OOHHH!! DAMN IT!
REWARD
OTIS BROOK BANK ROBBERY
MIKE S. BLUEBERRY ROBBERY AND MURDER
NAVRÉ OLD MAN, MAIS TU VAS DEVOIR PASSER UNE NUIT PLUTÔT INCONFORTABLE!..
À PIMA
CE CÂBLE ARRIVE À L'INSTANT VIA TUCSON SIR...
VOYONS ÇA... !!!?? HEIN! BLOOD 'N' GUTS!.. SANS CE NUMÉRO DE CODE QUI FIGURE EN TÊTE JE CROIRAIS À UNE MAUVAISE FARCE!
CES NAVAJOS SONT DE VRAIS DÉMONS, GENTLEMEN! NON SEULEMENT ILS ONT DÉLIVRÉ LES LEURS À SAN CARLOS MAIS ILS REDESCENDENT DÉJÀ PLEIN SUD!.. VERS BENSON!..
!!!??
QUOI!?
IMPOSSIBLE!..
ENTRETEMPS
QUELLE PEINE!.. UN MATÉRIEL TOUT NEUF...
MBL

IL Y A UN AUTRE TÉLÉGRAMME DU COLONEL DRAKE À TUCSON... IL A ÉTÉ ALERTÉ LUI AUSSI... IL MARCHE SUR BENSON, PAR L'OUEST ET NOUS DEMANDE D'EN FAIRE AUTANT PAR L'EST, AFIN DE PRENDRE LES ROUGES EN TENAILLES !..
HELL ! D'OÙ DIABLE SORTENT CES CINQ CENTS GUERRIERS QUE SIGNALE RUDENSKY ?..
LES SUCCÈS DE VITTORIO LUI ONT RALLIÉ D'AUTRES TRIBUS !.. C'EST UNE GUERRE APACHE GÉNÉRALISÉE QUE NOUS AVONS SUR LES BRAS !
NOUS PARTONS À L'AUBE !.. RAPPELEZ LA CAVALERIE ET TOUS LES GUETTEURS !
LES HOMMES VONT ÊTRE DÉFINITIVEMENT ÉCOEURÉS !.. C'EST LA TROISIÈME FOIS QUE NOUS REBROUSSONS CHEMIN !..
GLOBE TELEGRAPH
AVEC UN PEU DE CHANCE, ON NE S'INQUIÉTERA PAS DU TÉLÉGRAPHISTE AVANT DEMAIN SOIR ! LE BUREAU LE PLUS PROCHE EST À PLUS DE 60 MILES À L'OUEST !.. ÇA DEVRAIT NOUS DONNER AU MOINS TROIS BONNES JOURNÉES DE RÉPIT !..
CLOSED
telegraph out of order
DONE TO ORDER
CEPENDANT À SAN CARLOS
YES SIR !.. NOUS AVONS TROUVÉ ÇA, À TROIS MILES DU CAMP, SUR LA PISTE SUD !..
AUCUN DOUTE, CES COYOTES FILENT AU PLUS COURT VERS LA FRONTIÈRE MEXICAINE !..
ET MILLER QUI ACCOURT ICI ! HA ! VOUS RESTEREZ À SAN CARLOS POUR LUI DIRE DE NOUS RATTRAPER AU PLUS VITE !.. NOUS ENTAMERONS LA CHASSE DÈS L'AUBE !..
ENTRETEMPS
APRÈS MES TÉLÉGRAMMES À DRAKE ET À MILLER... ET SI...
...COMME CONVENU, CHINI A FAIT UN CROCHET EN FUYANT ET CRÉÉ UNE FAUSSE PISTE, EN SEMANT, BIEN EN VUE, UNE KACHINA AU SUD DE SAN CARLOS...
...DEMAIN, TOUTES LES TROUPES DE LA RÉGION NOUS COURRONT APRÈS DANS CETTE DIRECTION, TANDIS QUE NOUS FUIRONS PLEIN OUEST !
ET, UNE DEMI-HEURE PLUS TARD...
EN SELLE !.. NOUS AVONS JUSTE LE TEMPS DE REJOINDRE VITTORIO À BENSON...
D'ABORD TUER LUI !.. LUI SAVOIR TROP DE CHOSES !
"BENSON"

À GLOBE, J'AI DÉTRUIT LA MAGIE QUI FAIT CHANTER LES FILS... NOUS SERONS AU MEXIQUE AVANT QUE L'ON PUISSE AVERTIR LES TUNIQUES BLEUES DU SUD... CHUKA! ARRÊTE!
NON!
J'AI DIT: ARRÊTE!
TSI-NA-PAH A TORT!..
ASSEZ PERDU DE TEMPS!.. EN SELLE!
TOI, DOUGHERTY, TU N'AURAS QU'À RAMPER JUSQU'À LA PISTE... EN NE TE VOYANT PAS RENTRER, ON FINIRA BIEN PAR ENVOYER UNE PATROUILLE À TA RECHERCHE!
CHUKA PAS COMPRENDRE! PRISONNIER TOUT RACONTER! ET VITTORIO EST À PIMA! POURQUOI, NOUS PARTIR POUR BENSON, CHUKA PENSE QUE TSI-NA-PAH FOU!
TSI-NA-PAH, SAGE AU CONTRAIRE... LE PRISONNIER VA TOUT RACONTER AUX SIENS... ÇA LES ENFONCERA UN PEU PLUS DANS LEUR ERREUR... NOUS CHANGERONS DE DIRECTION SITÔT HORS DE VUE
HI! HI!.. TSI-NA-PAH MALIN COMME RENARD!
LE SALAUD!.. "TU N'AS QU'À RAMPER JUSQU'À LA PISTE" IL A DIT!!
... PLUS TARD, À SAN CARLOS, TANDIS QUE L'AUBE ÉCLAIRE LE CIEL À L'EST
CROYEZ PAS QU'ON AURAIT DÛ ATTENDRE LA COLONNE DU GÉNÉRAL MILLER, SIR?.. NOUS NE LAISSONS QU'UNE POIGNÉE D'HOMMES AU FORT!
ET ALORS!!! PAS DE DANGER QUE LES NAVAJOS REVIENNENT AU BERCAIL... EN RETROUVANT LEUR PISTE, NOUS FERONS GAGNER UN TEMPS PRÉCIEUX À MILLER!
À LA MÊME HEURE, LOIN À L'EST DANS LA SIERRA GILA, SUR LES HAUTEURS QUI DOMINENT PIMA.
LE VIEUX RED BEAR EST MORT DE FROID! IMPOSSIBLE DE PASSER ENCORE LA PROCHAINE NUIT ICI, SANS FEU NI ABRI!..
LA MOINDRE FUMÉE NOUS DÉNONCERAIT... IL EST TROP TARD POUR REBROUSSER CHEMIN!.. ET CONTRE TOUTE UNE ARMÉE DE TUNIQUES BLEUES AUCUNE CHANCE DE FORCER LE PASSAGE!
VITTORIO!.. VITTORIO!!!
POURQUOI AVOIR FUI VERS LE POINT OÙ NAÎT LE SOLEIL? LES PISTES DU SUD SONT NOMBREUSES, FACILES, ELLES MÈNENT DROIT À LA FRONTIÈRE!
LES LONGUES-LAMES LE SAVENT! ELLES DOIVENT DÉJÀ NOUS Y CHERCHER. COCHISE A CONFIANCE DANS LE PLAN DE TSI-NA-PAH!
CEPENDANT
GOOD LORD! JE SUIS À BOUT DE FORCES!.. JE VAIS... C... CREVER DE S... SOIF SI... SI... OOH!..
... LÀ-BAS!.. UN CAVALIER!

VITTORIO !.. LES TUNIQUES BLEUES, LÀ-BAS !.. ELLES QUITTENT PIMA !.. ELLES MARCHENT VERS LE SUD ! LES PASSES SONT LIBRES !..
C'EST UNE VRAIE MAGIE !..
ET C'EST TSI-NA-PAH LE SORCIER ! CHINI EN EST SÛRE !..
MÊME LES GUETTEURS SE SONT RETIRÉS !..
EN EFFET, AU MÊME INSTANT
J'AI ENFIN PU CÂBLER SIR... MAIS LE TÉLÉGRAPHE EST COUPÉ ENTRE GLOBE ET TUCSON !.. SÛREMENT LES NAVAJOS !..
VOILÀ QUI LÈVE LES DERNIERS DOUTES ! BLAST IT !.. ILS SONT BIEN LÀ-BAS !..
20A
CEPENDANT
GOOD LORD ! UN VRAI MIRACLE L'AMI ! DES HEURES POUR RAMPER JUSQU'ICI !.. SANS VOUS J'ÉTAIS FOUTU !.. SANS VOUS ET SANS CE BRIGAND DE BLUEBERRY !..
BLUEBERRY !?
SÛR !.. C'EST LUI QUI M'A ESTOURBI MAIS LE CIEL M'EST TÉMOIN QU'IL A EMPÊCHÉ LES SAUVAGES DE M'ÉGORGER... AU FAIT, QUI ÊTES-VOUS ?.. VOUS LE CONNAISSEZ ?
UN VIEUX COMPTE À RÉGLER AVEC CE RASCAL !..
ON ME SURNOMME "EGG SKULL"(1).. JE VAIS À SAN CARLOS, SÛR QUE CES SALES RATS DE NAVAJOS VONT VENIR DÉLIVRER LEURS CONGÉNÈRES !..
HÉ HÉ !! BIEN VU ! MAIS VOUS ARRIVEZ TROP TARD OLD CHAP ! C'EST FAIT !...
(1) VOIR "NEZ-CASSÉ"
...ILS FONCENT SUR BENSON... J'AI ENTENDU BLUEBERRY EN PARLER ! PRÊTEZ-MOI UN CHEVAL, FAUT QUE J'AVERTISSE SAN CARLOS !.. INUTILE QUE J'AILLE À GLOBE... LE TÉLÉGRAPHE A ÉTÉ DÉTRUIT !..
BENSON, HUH !?!
SÛR !.. D'AILLEURS, BLUEBERRY EST BIEN PARTI VERS LE SUD, VOILÀ CINQ HEURES À PEU PRÈS !..
HM... BAAL NE VAUT PAS MES PAUVRES GOG ET MAGOG(1) MAIS LA PISTE EST FRAÎCHE !.. RENIFLE ÇA MON CHIEN !.. ET CONDUIS-NOUS À CE SALE RENÉGAT DE BLUEBERRY !
(1) VOIR "LA LONGUE MARCHE"
HEEY !.. VOUS... VOUS ALLEZ PAS ME PLANTER LÀ !?..
HI HI HI !.. TROUVE-TOI UN CHEVAL À GLOBE, L'AMI, ET RAMÈNE LA CAVALERIE... JE BALISERAI MA PISTE... VOUS ME SUIVREZ SANS PEINE !.. SO LONG !..
GIR
20B

LA GILA RIVER ! ELLE COULE PLEIN OUEST ! C'EST ICI QUE NOUS QUITTONS LA DIRECTION DU SUD POUR BIFURQUER VERS PIMA !.. MAIS D'ABORD ON TRAVERSE !

NOUS ALLONS MARQUER NOTRE PISTE DANS LA BOUE DE L'AUTRE RIVE JUSQU'AU SOL ROCHEUX !..
TSI-NA-PAH AUSSI RUSÉ QUE VRAI NAVAJO !..

NOUS VOICI SUR LA PIERRAILLE.. NOUS ALLONS REGAGNER LA RIVIÈRE PAR CET ÉPERON ROCHEUX SANS LAISSER DE TRACES !..

ET, QUELQUES INSTANTS PLUS TARD...
YAAAAR !..
HA, HA ! L'EAU EST GLACÉE MAIS ON AVAIT TOUS SACRÉMENT BESOIN D'UN BON BAIN !

RUSE BONNE !.. TROMPER VISAGES PÂLES. PAS TROMPER HOMMES ROUGES !
QU'IMPORTE ! SEULES LES TROUPES DE SAN CARLOS RISQUENT DE SUIVRE NOTRE PISTE.. ET ELLES NE SONT PAS DOTÉES DE SCOUTS APACHES !

DANS LA SIERRA GILA, LE PEUPLE NAVAJO A REPRIS SON EXODE
...PAR LA VALLÉE NOTRE MARCHE AURAIT ÉTÉ PLUS FACILE !
...ET NOUS ALLONS MANQUER DE NOURRITURE ALORS QUE PIMA EST SANS DÉFENSE ! UN SEUL RAID DE GUERRIERS ET...
...PERDEZ-VOUS L'ESPRIT ? PILLER PIMA, ALORS QUE TOUTES LES TUNIQUES BLEUES NOUS CROIENT EN FUITE VERS LE SUD !.. NOUS DEVONS NOUS ÉVAPORER COMME DES FANTÔMES !

LA GILA ! ET LA PISTE Y MÈNE TOUT DROIT ! DAMN IT ! CES DÉMONS NE FONT GUÈRE D'EFFORTS POUR BROUILLER LEUR PISTE !.. QU'EST-CE QUE ÇA CACHE ENCORE ?!

EGGSKULL A FRANCHI LA RIVIÈRE À SON TOUR, MAIS, SUR L'AUTRE RIVE
HEY!.. OÙ M'ENTRAÎNES-TU BÂTARD?.. L'EAU T'A FAIT PERDRE TON FLAIR OU QUOI? T'AS RENIFLÉ UN RAT MUSQUÉ? HI HI HI!!.. NOUS, C'EST LE RAT ROUGE QU'ON TRAQUE!.. ET C'EST TOUT DROIT!..
WAF WAF

ENTRETEMPS
LÀ! GILA RIVER SE JETER DANS LAC SAN CARLOS!
O.K! ÇA FAIT DEUX HEURES QU'ON BARBOTE!.. ON PEUT REMONTER ET PIQUER DROIT SUR PIMA!

HELL!.. ON DIRAIT QUE BAAL A PERDU LA PISTE POUR DE BON!.. ET MOI, ÇA FAIT UN BOUT DE TEMPS QUE J'AI PAS VU D'EMPREINTES!.. BLAST IT! CE DÉMON DE BLUEBERRY NOUS A ROULÉS!...

BON!.. HÉ HÉ!.. Y A PLUS QU'À RETOURNER JUSQU'À LA GILA RIVER!..

ET BIENTÔT
BRAVE BAAL!.. C'EST BIEN LA BONNE PISTE CETTE FOIS!.. C'EST TOI QUI AVAIS RAISON TOUT À L'HEURE!..

LONGEANT CHACUN UNE RIVE, EGGSKULL ET SON CHIEN ENTAMENT LA DESCENTE DE LA GILA
HI HI!.. C'EST PAS PAR SOTTISE QUE BLUEBERRY A PARLÉ...
...DU SUD DEVANT CET IDIOT DE SERGENT!
PAS DE DOUTE! C'EST UN FUTÉ!
22A

PLUS TARD...
HELL!.. ME SERAI-JE TROMPÉ?..
V'LÀ PLUS D'UNE HEURE DÉJÀ QUE JE...

TIENS!.. TIENS!..
...ENTRE CES DEUX BLOCS... ON DIRAIT... GOOD LORD! DU CROTTIN!.. JE SUIS SUR LA BONNE PISTE!..

RAPPELANT SON CHIEN SUR LA RIVE QU'IL LONGE, EGGSKULL A REPRIS SA TRAQUE... ET, UNE HEURE PLUS TARD...
BAAL! TU AS RENIFLÉ QUELQUE CHOSE? CHERCHE!..
WAF WAF
GIR
22

LÀ! DES CRINS DE QUEUE DE PONEY!.. BLUEBERRY ET SES NAVAJOS SONT PASSÉS LÀ!..
FIÉVREUSEMENT L'HOMME ET SON CHIEN EXPLORENT LA RIVE... ET SOUDAIN...
OÙ DIABLE COURENT-ILS SI LOIN VERS L'EST?.. EST-CE POUR CRÉER UNE DIVERSION? OU... GOOD LORD! REJOINDRAIENT-ILS LE RESTE DE LA TRIBU QUE TOUT LE MONDE CROIT EN FUITE VERS LE SUD?
PLUS UNE SEULE TUNIQUE BLEUE À PIMA! MON FAUX TÉLÉGRAMME A FAIT MERVEILLE!
CHUKA... TROUVER SIGNES LAISSÉS PAR COCHISE ET VITTORIO DANS SIERRA... EUX TOUJOURS MARCHER VERS L'EST!..
23A
...AUSSI TROUVER GOURDE TROUÉE DANS SOURCE CHAUDE COMME TSI-NA-PAH AVOIR DIT!..
ÇA, C'EST UN SIGNAL CONVENU QUI INDIQUE QUE NOTRE COLONNE DE RAVITAILLEMENT EST AU RENDEZ-VOUS...
OK! ENTASSONS ICI LE PLUS POSSIBLE DE BOIS MORT... ON VA SE PAYER UN FEU DE JOIE AVANT DE FILER CETTE NUIT!
?!
ET CETTE NUIT-LÀ
TOUT PIMA VOIR FEU!.. VISAGES PÂLES PEUT-ÊTRE VENIR.
NOUS SERONS LOIN!.. NOUS N'AVONS LAISSÉ AUCUNE TRACE ICI ET NOUS ALLONS EFFACER NOTRE PISTE DERRIÈRE NOUS!.. EN ROUTE!..
GIR 23

ET, DANS LA VALLÉE

GOOD LORD !.. LE SIGNAL ! ENFIN !
GROCERIES
HOTEL

LES DÉMONS ÉTOUFFENT BLUEBERRY ET CE MAUDIT CHIEN BÂTARD QUI A PERDU LA PISTE !.. GOG ET MAGOG, EUX, SE SERAIENT PAS LAISSÉ SEMER (1) !
(1) VOIR « LA LONGUE MARCHE »

C'EST PAS CROYABLE C'T'AFFAIRE-LÀ !
YUP
C'EST COMME CE SALOPARD DE HICOCK ! CELUI-LÀ, SI JE LE...
HEY !?

QUI DIABLE PEUT BIEN FAIRE FLAMBER UN FEU PAREIL SI HAUT DANS LA SIERRA ?
Y A PAS D'RANCH DANS C'COIN-LÀ !
HELL ! ON DIRAIT UN SIGNAL ! LES NAVAJOS ? L'ARMÉE ?... AU FAIT !.. IL FAUT QUE J'ALERTE IMMÉDIATEMENT LE GÉNÉRAL MILLER !
JUNCTION SALOON

LE SHÉRIF ?! VOUS VOYEZ CE FEIGNANT EN TRAIN DE FERMER BOUTIQUE LÀ-BAS !? BEN C'EST LE SHÉRIF... VOUS Z'AVEZ ENCORE UNE CHANCE DE L'ATTRAPER AU VOL !

L'ARMÉE ? ÇA FAIT TROIS JOURS QU'ELLE A QUITTÉ PIMA POUR FONCER PLEIN SUD... FAUT DIRE QU'ON A PAS VU L'OMBRE D'UN NAVAJO PAR ICI, L'AMI.
DAMN IT !...

QUANT À CE RENÉGAT, AUCUNE CHANCE POUR QU'IL SOIT EN VILLE OU DANS LES ENVIRONS ! TOUT LE MONDE CONNAÎT SA TÊTE PAR ICI ! ON L'AURAIT IMMANQUABLEMENT REPÉRÉ... ALLEZ DONC DORMIR ! VOUS TENEZ PLUS DEBOUT !
REWARD
BLUEBERRY
20.000 $
PHILIP
15.000

L'AUBE DU LENDEMAIN
PFFFFFFFF... NOUS V'LA OBLIGÉS DE JOUER LES GARÇONS VACHERS MAINTENANT... QUELLE DÉCHÉANCE !..
CAUSE PAS TANT ET ACTIVE TES MULES ! INUTILE D'ALERTER LES CITOYENS DE PIMA !

AU MÊME INSTANT
MEUUUH
DIABLE ! EN VOILÀ QUI COMMENCENT LEUR JOURNÉE DE BONNE HEURE !

COMME MOI, MAIS SÛREMENT PAS POUR LES MÊMES RAISONS... HAHAHA !??

...BON SANG C'EST PAS VRAI !..

McCLURE ! RED NECK ! EUX ICI !?
ARRÊTE DE TE BILER COMME ÇA, RED ! POUR LES PÉQUENOTS DU COIN, ON EST RIEN D'AUTRE QUE D'BRAVES COWBOYS QUI PUENT LA BOUSE DE VACHE !
254

ET, DIX MINUTES PLUS TARD...
LES DEUX VIEUX ? ÇA FAIT QUELQUES JOURS QU'ILS SONT LÀ ! ILS ONT ACHETÉ UN RANCH À SAN JOSE POUR LEURS VIEUX JOURS... ILS ONT PAYÉ CASH LE BÉTAIL ET LE RAVITAILLEMENT ! DE QUOI TENIR TROIS ANS DANS LEUR TROU !

MILLE PUTOIS ! JE SAIS PLUS QUAND EXACTEMENT J'AI PLANQUÉ CETTE FICHUE GOURDE TROUÉE DANS CETTE FICHUE SOURCE CHAUDE, MAIS JE COMMENÇAIS À DÉSESPÉRER D'APERCEVOIR LE SIGNAL DE MIKE !..

AU PROCHAIN DÉTOUR DE LA VALLÉE, ON BIFURQUERA VERS LA SIERRA !

RAVITAILLER LES INDIENS ?! CES DEUX VIEUX SACS À GNÔLE ?! VOUS ÊTES CINGLÉ, L'AMI !? ET PUIS D'ABORD : QUELS INDIENS ?.. PERSONNE N'EN A VU LA QUEUE D'UN !
HA HA HA

MAIS PUISQUE JE VOUS DIS QUE...
ÇA SUFFIT ! MÊME LE GÉNÉRAL MILLER ET SES TROUPES VIENNENT DE LEVER LE CAMP, VOTRE HISTOIRE COMMENCE À TOURNER À L'IDÉE FIXE !

AU MÊME INSTANT
MILLE PUTOIS ! C'EST PAS LE MOMENT DE GLISSER SUR UNE PEAU DE BANANE
ENCORE UN DEMI-MILLE COMME ÇA ET ON SERA PAS LOIN DU RENDEZ-VOUS !..
GIR
258

RED ! JIMMY !!
MIKE ! ENFIN !!!
RUDEMENT CONTENT DE TE REVOIR, GARÇON !

RÉUNIR UN POSSE ET CAVALER AUX TROUSSES DE CES DEUX CROULANTS ?.. ET QUOI ENCORE ? SOUS QUEL PRÉTEXTE ?.. ALLEZ AU DIABLE... NOUS AVONS AUTRE CHOSE À FAIRE, ICI, À PIMA QUE DE S'OCCUPER DES DINGOS DANS VOTRE GENRE
QUOI ?

ESPÈCE DE SALE VERMINE ! JE VOUS FERAI REGRETTER CETTE...
STEVENS ! FICHE-MOI CE BRAILLARD AU TROU !
26A

... BEN, ON A ABANDONNÉ LE TRAIN(1) AU SUD DE PHOENIX...
PAS EU D'ENNUIS EN ROUTE ?
APRÈS QUOI ON A RAPPLIQUÉ ICI DARE-DARE COMME CONVENU !
(1) VOIR : LA LONGUE MARCHE

SEULEMENT UNE BONNE TROUILLE QUAND ON EST TOMBÉS SUR L'ARMÉE DE MILLER, À PIMA.
HM... AVEC LE TROUPEAU ET LE CONTENU DU CHARIOT, IL Y A DE QUOI NOURRIR LES NAVAJOS UNE BONNE DIZAINE DE JOURS !

JE... HEU... JE VOULAIS PAS...
AVANCE ET NE DISCUTE PAS L'AMI ! ON VA TE METTRE AU FRAIS
26B

QUAND TU SERAS CALMÉ, TU PRÉSENTERAS DES EXCUSES AU SHÉRIF... TU POURRAS ALLER ENSUITE TE FAIRE PENDRE AILLEURS !
ÇA M'APPRENDRA À FERMER MA GRANDE GUEULE...

NOTRE PROCHAIN RENDEZ-VOUS EST À DEER CREEK, AU NORD DE SANTA RITA ! PROCUREZ-VOUS LA MÊME QUANTITÉ DE MAÏS ET DE BOEUFS AU L.C. RANCH... VOILÀ DE QUOI LES PAYER
MILLE PUTOIS ! ÇA PÈSE SON POIDS !!! ENCORE DES BIJOUX DE LA TRIBU ?..

LES DERNIERS ! DE L'ARGENT MASSIF ET DES TURQUOISES EN PAGAILLE !
SUPERBE !

... VOUS POURREZ NÉGOCIER TOUT ÇA À SILVER CITY ! VOUS DESSERTIREZ LES PIERRES AUPARAVANT ! IL NE FAUT PAS QU'ON PUISSE IDENTIFIER LEUR PROVENANCE.

TU PEUX COMPTER SUR NOUS FISTON... TOUT S'RA RÉGLÉ AU QUART DE POIL !
GIR

À CONDITION DE N'AVOIR PAS À VOLER DU BÉTAIL NI À PILLER DES RANCHES ISOLÉS POUR SE NOURRIR, LES NAVAJOS PEUVENT PROGRESSER SANS SE FAIRE REPÉRER JUSQU'AU RIO GRANDE, À L'ABRI DES SIERRAS ET DE LA GRANDE FORÊT APACHE

PERSONNE NE PENSERA QU'ILS AIENT PU PASSER SI LOIN À L'EST SANS AVOIR À SE RAVITAILLER... ALORS, NOUS FONCERONS PLEIN SUD ! VERS LE MEXIQUE !
GÉNIAL, FISTON !..
MÉFIE-TOI !.. PARAÎTRAIT QUE DUKE STANTON (*) A CHARGÉ WILD BILL HICOCK DE LEVER UNE MILICE PRIVÉE..
(*) VOIR "LA LONGUE MARCHE"

UNE MILICE PRIVÉE EN NOTRE HONNEUR !.. HOH !.. INTÉRESSANT !..
HI, HI, HI !.. INTÉRESSANT !.. T'AS DE CES MOTS !.. MILLE PUTOIS, ÇA NOUS PROMET UNE JOLIE PARTIE DE CACHE-CACHE !..
27A

AU MÊME INSTANT EN EFFET, EN GARE DE TUCSON
JE COMPTE PATROUILLER SANS ARRÊT EN TRAIN DE TUCSON À EL PASO, STANTON !.. LA LIGNE COURT PARALLÈLEMENT À LA FRONTIÈRE ! TÔT OU TARD LES NAVAJOS LA FRANCHIRONT POUR PASSER AU MEXIQUE !..
QUEL EST VOTRE PLAN, BILL ?.. J'AI JURÉ DE N'ÉPOUSER LILY CALLOWAY OU PLUTÔT CETTE GARCE DE PEARL QUE LORSQUE BLUEBERRY SE BALANCERA À UN DES POTEAUX DE LA VOIE

LÀ OÙ ILS COUPERONT LE TÉLÉGRAPHE, ILS PASSERONT... J'Y FONCERAI IMMÉDIATEMENT ! JE N'AURAI PLUS QU'À DÉBARQUER MES CAVALIERS ET LEUR DONNER LA CHASSE... JUSQU'À MEXICO S'IL LE FAUT !
PEU IMPORTE, HICOCK !.. JE PAYERAI CE QU'IL FAUT POUR AVOIR LA PEAU DE CE BÂTARD !
27B

CE CHARIOT NE TIENDRA PAS LE COUP DANS LA SIERRA ! D'AILLEURS, IL NOUS RETARDERAIT ! ON VA SORTIR LE CHARGEMENT ET L'ARRIMER SUR LE BÉTAIL.

SUR LA PARTIE ROCHEUSE LES BÊTES NE LAISSERONT AUCUNE TRACE ! RED ! JIMMY ! VOUS EFFACEREZ DERRIÈRE NOUS TOUS LES INDICES DE NOTRE PASSAGE SUR UN BON MILE AU MOINS !..
OK !.. ON TE FERA UN MÉNAGE SOIGNÉ !..
GIR
27C

ET, BIENTÔT
EMMENEZ LE CHARIOT ET REDOUBLEZ DE PRUDENCE... L'ARMÉE NE VA PAS TARDER À SE DEMANDER OÙ NOUS SOMMES PASSÉS
BONNE CHANCE MIKE!

CEPENDANT
LE DIABLE ÉTOUFFE CET ENFOIRÉ DE SHÉRIF!.. IL M'A FAIT PERDRE UNE JOURNÉE!.. IDIOT QUE JE SUIS D'AVOIR VOULU LE CONVAINCRE! HEUREUSEMENT, LA PISTE EST FACILE À SUIVRE...

CHUKA RETROUVER PISTE DE LA TRIBU.. NOUS LA REJOINDRE CE SOIR!

ET CE SOIR-LÀ, EN EFFET, MENÉ BON TRAIN ET GUIDÉ PAR DE MYSTÉRIEUX SIGNES DE PISTE, INDÉCELABLES PAR TOUT AUTRE OEIL QUE CELUI D'UN INDIEN, LE TROUPEAU REJOINT LE CAMP DES NAVAJOS EN FUITE...
TSI-NA-PAH! ENFIN! CHINI COMMENÇAIT À CRAINDRE POUR TOI!..
IL ÉTAIT TEMPS! DEPUIS DEUX JOURS, MON PEUPLE NE CALME PLUS SA FAIM QUE GRÂCE AUX HERBES ET AUX RACINES...
VITTORO N'AURAIT PU RETENIR PLUS LONGTEMPS SES BRAVES D'ALLER PILLER LES FERMES DE LA VALLÉE
TSI-NA-PAH RAMÈNE DU BÉTAIL MAIS AUSSI DU MAÏS, DE LA FARINE DES HARICOTS ET DE LA MÉLASSE!

HELL! QU'EST-CE QUE...

BLAST IT!.. LES TRACES DU CHARIOT CONTINUENT PLEIN OUEST! MAIS... PLUS UNE EMPREINTE DE BÉTAIL!.. HI HI HI!.. J'AVAIS VU JUSTE!

CES DEUX RASCALS ONT DÛ LIVRER LEUR BÉTAIL À CE PUTOIS DE BLUEBERRY ET À SA VERMINE ROUGE!..

PAS UN INDICE! ILS ONT SOIGNEUSEMENT EFFACÉ LEUR PISTE... ET VOILÀ LA NUIT!.. MILLE DÉMONS!..
GIR

PUIS TARD...
BLUEBERRY A REJOINT LE RESTE DE LA TRIBU !.. SÛR !!!
...ET MA SEULE CHANCE DE LES RATTRAPER, C'EST DE CONTINUER À TRAQUER LES DEUX VIEUX !.. UN JOUR OU L'AUTRE ILS REFERONT DU RAVITAILLEMENT, ET ALORS LÀ... CRAC !..
ET, TRÈS LOIN DANS LE SUD
NOS ÉCLAIREURS RENTRENT DE BENSON, SIR ! ON N'Y A PAS VU L'OMBRE D'UN NAVAJO !.. CETTE MAUDITE TRIBU EST INTROUVABLE !
UN COURRIER DU COLONEL DRAKE VIENT ÉGALEMENT D'ARRIVER, SIR... SES PATROUILLES N'ONT RELEVÉ AUCUNE PISTE !..
ALORS !?

AU MÊME INSTANT, À PLUSIEURS HEURES DE LÀ...
UN VRAI CRIME !.. BRISER ET FONDRE TOUS CES BIJOUX !.. RED !.. CREUSE LES TROUS DANS LE SABLE !.. J'AI HÂTE QUE TOUT CET ARGENT SOIT COULÉ EN LINGOTS !.. JE TOMBE DE SOMMEIL !

QUANT AU TÉLÉGRAMME QUI NOUS A FAIT QUITTER PIMA... CE SERAIT UN FAUX ! UN COUP DE CE RENÉGAT DE BLUEBERRY !..
QUOI ?

LES TUNIQUES BLEUES SAURONT BIENTÔT QUE MON MESSAGE, ENVOYÉ PAR LES FILS QUI CHANTENT, N'ÉTAIT QU'UNE RUSE,
TANT QUE LA PISTE DES NAVAJOS NE CROISERA CELLE D'AUCUN BLANC, LES LONGUES-LAMES REFUSERONT DE NOUS CROIRE SI LOIN À L'EST !..
LES VISAGES PÂLES SONT NOMBREUX SUR LES RIVES DU RIO GRANDE... LÀ EST LE DANGER !..
29A

COCHISE A RAISON ! SITÔT QUE MES AMIS AURONT RENOUVELÉ NOS PROVISIONS À DEER CREEK, NOUS FONCERONS À TRAVERS LE DÉSERT, VERS LA FRONTIÈRE... ELLE N'EST QU'À TROIS JOURS DE MARCHE...

DÈS L'AUBE LA TRIBU REPRENDRA SA LONGUE MARCHE !..
ALORS EMPLISSONS LES ESTOMACS
VOICI DES LUNES QUE LES GUERRIERS N'ONT PAS EU DE BONNE VIANDE
GRÂCE À TSI-NA-PAH, LES BRAS DES GUERRIERS REDEVIENDRONT FORTS !..
GENTLEMEN, NOTRE SUPERBE DISPOSITIF EST EN TRAIN DE SE REFERMER SUR UNE NASSE VIDE !..
NOUS AVONS ÉTÉ JOUÉS UNE FOIS DE PLUS !..

ON NE LES SIGNALE NULLE PART !.. MAIS ENFIN, OÙ DIABLE SE TERRENT-ILS ?!.. ON A L'IMPRESSION DE COURIR APRÈS DES FANTÔMES !..
ARIZONA
29B
GIR

LES JOURS ONT PASSÉ
ENFIN Y A UN BON SIÈCLE QUE J'AI PAS AVALÉ UNE GOUTTE DE GNÔLE !
LÀ-BAS ! SILVER CITY !..

MAIS... À QUELQUE DISTANCE...
!?!? SILVER CITY ?!? BIZARRE ! SERAIT-CE LEUR PROCHAIN LIEU DE RENDEZ-VOUS AVEC BLUEBERRY ?.. HEU ! IL SERAIT TEMPS... ÇA VA FAIRE SIX JOURS QU'ILS ME BALADENT ET TOUJOURS PAS DE CONTACT AVEC LES FUGITIFS !

FICHUE IDÉE QU'A EUE MIKE DE NOUS ENVOYER DANS CE TROU À FORBANS !
AU CONTRAIRE. DANS CETTE VILLE MINIÈRE, PERSONNE S'ÉTONNERA DE NOUS VOIR RAPPLIQUER AVEC NOS LINGOTS ET NOS TURQUOISES !

QUAND MÊME... JE SUIS PAS TRANQUILLE !
VAUDRAIT MIEUX SE DÉBARRASSER AU PLUS VITE DE LA MARCHANDISE...
TIENS ! LÀ !.. EXACTEMENT CE QU'IL NOUS FAUT !..
BANK
OPEN 24 h DAILY
SILVER GOLD GEMS
BILLIARD

ET QUELQUES INSTANTS PLUS TARD
?!!
ET PURS À CENT POUR CENT L'AMI ! N'ESSAYE PAS DE NOUS ROULER SUR LES PRIX HEIN, T'ÉTAIS PAS NÉ QUE JE PROSPECTAIS DÉJÀ CES COLLINES !..

D'OÙ DIABLE SORTEZ-VOUS TOUT ÇA ?! VOUS AVEZ PILLÉ UN PLACER OU QUOI ?!
NOUS AVONS DÉCOUVERT UN FILON, MAIS PAS QUESTION DE DIRE OÙ, MONSIEUR... NOUS NE TENONS PAS À Y VOIR RAPPLIQUER TOUTE LA RACAILLE DE SILVER-CITY !..

UNE BANQUE !?! QUE PEUVENT BIEN Y FAIRE CES DEUX TRAÎNE-SAVATES !.. OOH !.. PARDI ! DOIT FALLOIR UN SACRÉ TAS DE DOLLARS POUR NOURRIR PLUS DE TROIS CENTS BOUCHES ! MAIS... D'OÙ DIABLE SORT LE FRIC !?!
BANK
OPEN 24
GIR.

MAC!.. EH MAC!..
ET CINQ CENT CINQUANTE QUI FONT DEUX MILLE DOLLARS!.. UN BEAU COMPTE TOUT ROND MISTER!..
MILLE PUTOIS! CE SAC VA ÊTRE BOURRÉ JUSQU'À LA GUEULE!.. HI HIHI!..

MAC, ÉCOUTE! ÇA FAIT TROP DE FRIC... TU CROIS PAS QU'ON FERAIT MIEUX DE LE LAISSER ICI, BIEN À L'ABRI JUSQU'À DEMAIN!..
J'AI PAS CONFIANCE EN CE GROS LARD PARFUMÉ! IL NOUS A DÉJÀ ARNAQUÉS D'AU MOINS TROIS CENTS DOLLARS SUR LE PRIX DES TURQUOISES...

BON SANG, JE PEUX PAS LAISSER CES DEUX BOUSEUX COUSUS D'OR QUITTER LA VILLE LES POCHES PLEINES
NOM D'UN PUTOIS! VA FALLOIR MAINTENANT TROUVER UN BON LIT POUR NOUS, D'LA PAILLE POUR LES BÊTES, ET DE QUOI S'HUMECTER LA...
31A

?!!? ON DIRAIT...!! HELL!.. MAIS... OUAIS!.. ILS SONT SUIVIS PAR CE TYPE QUI EST SORTI DE LA BANQUE SUR LEURS TALONS!
PAS DE DOUTE!.. MES DEUX PIGEONS QUITTENT LA VILLE!..
NON MAC!.. PAS QUESTION DE TRAÎNER DANS CE REPAIRE DE DÉTROUSSEURS TANT QU'ON AURA CE SAC BOURRÉ DE BANKNOTES!..
QUOI?!

MILLE PUTOIS! ON VA QUAND MÊME PRENDRE UN P'TIT BAIN CHAUD QUELQU'PART, NON?..
UN BAIN DE GNÔLE OUAIS!.. C'EST DE ÇA QUE TU RÊVES! TON ODEUR, JE M'Y SUIS FAIT MAIS LIBRE À TOI D'ALLER TE RINCER!..
...MOI JE CONTINUE AVEC LE FRIC!
DAMN IT! JE VAIS PAS LAISSER UN TEL TAS DE FRIC ME FILER SOUS LE NEZ!..

UNE BIÈRE!
HI HIHI!.. M'EST AVIS QUE J'AI BIEN FAIT DE M'INTÉRESSER À LEUR SUIVEUR!. DE TOUTE FAÇON ILS VONT LENTEMENT AVEC LEUR CHARIOT... JE LES RATTRAPERAI SANS PEINE!
HI BASCOM, J'AI UNE AFFAIRE FACILE ET JUTEUSE POUR CE SOIR... MOITIÉ POUR MOI, MOITIÉ POUR TOI ET TES GARS...
DIS TOUJOURS MAX!.. ON VERRA SI ÇA VAUT QU'ON LÂCHE CE POKER!

QUATRE HEURES ONT PASSÉ!
HÉ!.. L'ASSOIFFEUR! T'AS L'INTENTION DE GALOPER TOUTE LA NUIT OU QUOI? LES CHEVAUX Y Z'EN PEUVENT PLUS!..
O.K. MAC! ON CAMPE ICI!.. À TOI LA PREMIÈRE VEILLE!
GIR
31B

MAIS, AU BOUT D'UNE HEURE
VERSE! VERSE HONEY!
ZZZZ

ZZZZZ
PAS BESOIN DE TÉTINE MAMACITA!

ZZZZZZZZzz MAIS!.. ELLE EST VIDE CETTE BOUTEILLE!
ZZZZZZzzzz...

PAS EXACTEMENT, PÉPÉ!.. MAIS C'EST DU PLOMB QUE TU VAS BIBERONNER SI TU BOUGES!..
!??!

MAC! MAUDIT BÂTARD! TU RONFLAIS AU LIEU DE MONTER LA GARDE!
LE SAC! LÀ! SOUS LA SELLE!!! C'EST LÀ QU'EST TOUT LE MAGOT!..
O.K. ON ENCAISSE ET ON FILE!..
QU... QUOI?! QUI... ÊTES-VOUS? MILLE MILLIONS D'PUTOIS!..

ALLEZ... AVANCE!..
RED!.. CRÉTIN!.. FILS D'ÂNE!.. DOUBLE BUSE!.. "PLUS TRANQUILLE QU'À SILVER CITY" QU'IL DISAIT! HAHAHA!..
J'AI LE FRIC!

TIENS! ATTRAPE!.. ...ET VÉRIFIE!!!
HEY?!
BON SANG!.. JE RECONNAIS CE RASCAL!.. IL ÉTAIT À LA BANQUE!
!!?
JOË! ESPÈCE DE MALADROIT!..

DITES, LES GARS! VOUS N'ALLEZ PAS DÉPOUILLER AINSI DEUX PAUVRES VIEUX DE CE QU'ILS ONT PÉNIBLEMENT GRATTÉ PENDANT VINGT ANS!.. ÉCOUTEZ, PARTAGEONS!.. HEIN?.. QUE...
SHUT UP!
TOUS LES BILLETS SONT BIEN DANS LE SAC
O.K!.. FOURRE CET ARGENT DANS MES FONTES ET AMÈNE MON CHEVAL! ALLEZ! TOUT LE MONDE EN SELLE!

OU ALORS, JE TE PROPOSE DE NOUS RENDRE NOS DOLLARS ET, EN ÉCHANGE, NOUS VOUS FAISONS CADEAU DE NOTRE CLAIM! ÇA, C'EST UNE AFFAIRE NON?..
PAS LA PEINE DE TE FATIGUER, MAC!..
HA HA HA!.. TON COPAIN A COMPRIS, SUCKER! ON NE VA PAS LAISSER DERRIÈRE NOUS DES TÉMOINS AUSSI BAVARDS QUE VOUS!

O.K. LES VIEUX!.. À LA REVOYURE EN ENFER!..
HAHAHA!!
ESPÈCE DE
HÉÉÉÉÉÉ

PAEYK!
PAW
?
!??

PAW
?
ATTENTION! LE PORTEUR DE LA SACOCHE DOIT POUVOIR S'ÉCHAPPER AVEC LE MAGOT... C'EST L'OCCASION RÊVÉE DE PRIVER BLUEBERRY DE SON RAVITAILLEMENT HI HI HI!!!

PAW PAW!
MAC! À PLAT VENTRE, BON SANG!
ILS FILENT AVEC LE MAGOT, MILLE PUTOIS!
MAX ET BASCOM SONT MORTS!
T'OCCUPE PAS D'EUX ET BAISSE LA TÊTE! ON FILE!..

À MON TOUR DE DISPARAÎTRE HI HI HI! FAUDRAIT PAS QUE CES DEUX IDIOTS ME REPÈRENT QUAND ILS ÉMERGERONT!..
HEY!.. UNE CHANCE POUR TOUT LE MONDE QUE J'AIE FILÉ LE TRAIN À CES TRUANDS!..
PLUS DE DANGER, MAC! CES SALAUDS SONT LOIN ET... HELL! ILS ONT DISPERSÉ NOS BÊTES!..
BIZARRE ÇA!.. POURQUOI QU'LE GARS QUI NOUS A SAUVÉS NE SE MONTRE-T-Y PAS?..

CEPENDANT
GODDAMN!.. C'EST QU'IL FAUT QUE JE PRENNE SOIN DE CES DEUX VIEUX RENÉGATS... ILS SONT MON SEUL FIL CONDUCTEUR VERS BLUEBERRY ET SA VERMINE ROUGE!
SEULEMENT QUELQUES DOUILLES!.. NOTRE SAUVEUR S'EST TIRÉ! DRÔLE DE MODESTE HUH?!
ET TOI, DRÔLE D'ABRUTI!.. GNA GNA GNA... RESTONS PAS EN VILLE! C'EST TROP DANGEREUX! PFFFFFFF!
PUTOIS DE PUTOIS! PLUS UN DOLLAR... ET TOI QUI M'AS REFUSÉ UN MALHEUREUX COUP DE GNÔLE...
NOUS Y VOILÀ!.. ET LES VIVRES QU'ATTENDENT MIKE ET LES INDIENS... T'Y PENSES, BORRACHÓN? (1)
(1) IVROGNE
ET TOI, ESPÈCE DE COYOTE?! TU POUVAIS PAS Y PENSER AVANT?! NON?!
SACRÉ SALOPARD D'IVROGNE!
HUMPF!!
PRENDS TOUJOURS CELUI-LÀ!
PFFF... J'EN AI MARRE, RED!..
MOI AUSSI MAC! ON SE CONDUIT COMME DES GAMINS, MA PAROLE!
PFF! PFF! ÇA VA MIEUX!.. BON SANG, RED! QU'EST-CE QU'ON VA FAIRE?!
FAUT Y RÉFLÉCHIR! EN ATTENDANT, ON VA FAIRE UN TROU POUR LES DEUX ÉCUMEURS!.. ON LEUR DOIT BIEN ÇA, ILS NOUS LAISSENT UN CHEVAL!
ET, À L'AUBE
ILS POURSUIVENT LEUR ROUTE! YUP! C'EST GAGNÉ!
...À CE TRAIN-LÀ, LES NAVAJOS ET MIKE SERONT LARGEMENT À COURT DE VIVRES!

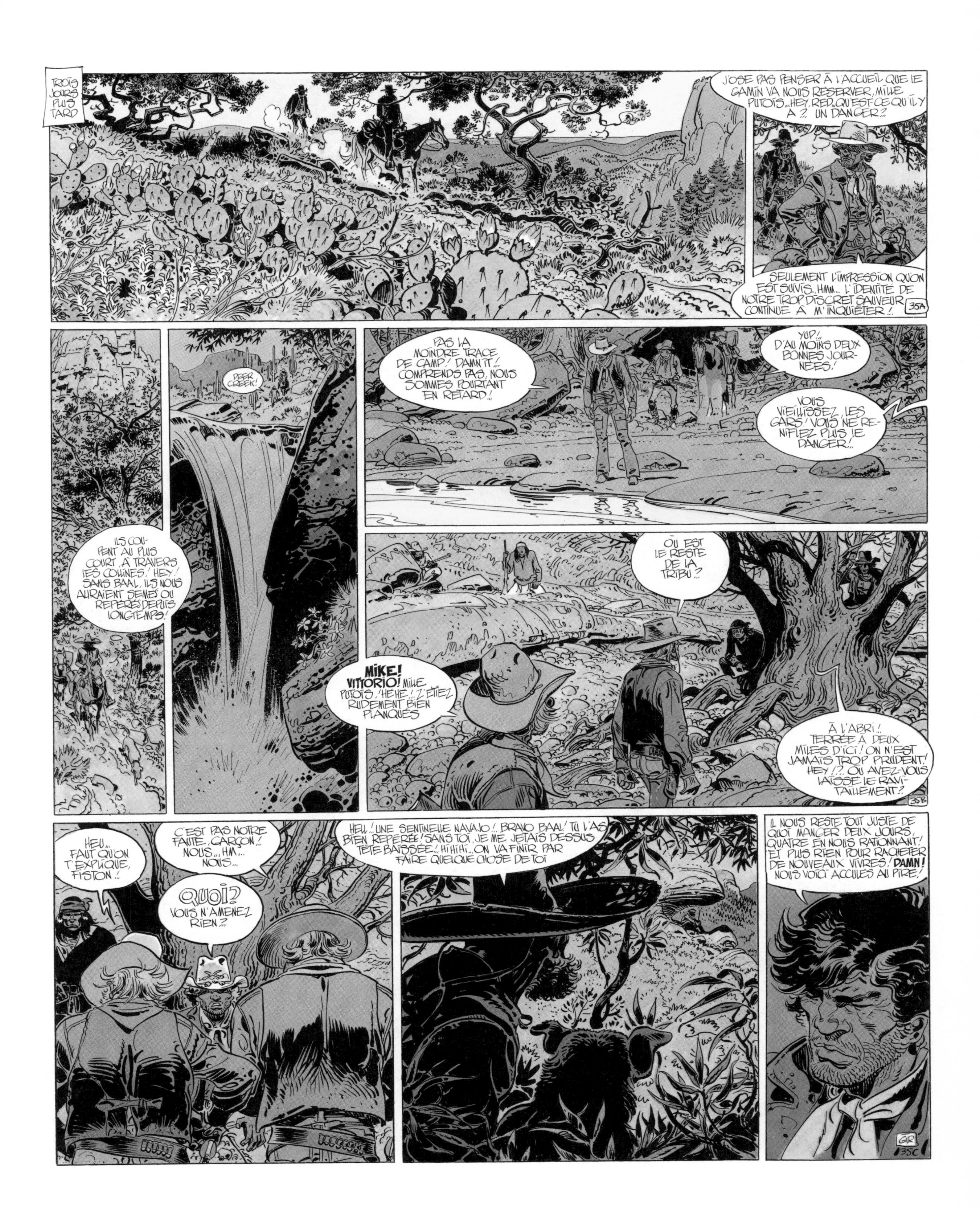
TROIS JOURS PLUS TARD
J'OSE PAS PENSER À L'ACCUEIL QUE LE GAMIN VA NOUS RESERVER, MILLE PUTOIS... HEY, RED, QU'EST-CE QU'IL Y A ?.. UN DANGER ?
SEULEMENT L'IMPRESSION QU'ON EST SUIVIS... HMM... L'IDENTITÉ DE NOTRE TROP DISCRET SAUVEUR CONTINUE À M'INQUIÉTER !..
35A
DEER CREEK !
ILS COUPENT AU PLUS COURT, À TRAVERS LES COLLINES ! HEY ! SANS BAAL, ILS NOUS AURAIENT SEMÉS OU REPÉRÉS DEPUIS LONGTEMPS !
PAS LA MOINDRE TRACE DE CAMP ! DAMN IT !.. COMPRENDS PAS, NOUS SOMMES POURTANT EN RETARD !
YUP !.. D'AU MOINS DEUX BONNES JOURNÉES !
VOUS VIEILLISSEZ, LES GARS ! VOUS NE RENIFLEZ PLUS LE DANGER !..
OÙ EST LE RESTE DE LA TRIBU ?
MIKE ! VITTORIO ! MILLE PUTOIS ! HÉHÉ !.. Z'ÉTIEZ RUDEMENT BIEN PLANQUÉS
À L'ABRI !.. TERRÉE À DEUX MILES D'ICI ! ON N'EST JAMAIS TROP PRUDENT ! HEY !?.. OÙ AVEZ-VOUS LAISSÉ LE RAVITAILLEMENT ?!
35B
HEU... FAUT QU'ON T'EXPLIQUE, FISTON !
C'EST PAS NOTRE FAUTE, GARÇON ! NOUS... HM... NOUS...
QUOI ? VOUS N'AMENEZ RIEN ?!
HEU !.. UNE SENTINELLE NAVAJO !.. BRAVO BAAL ! TU L'AS BIEN REPÉRÉE ! SANS TOI, JE ME JETAIS DESSUS TÊTE BAISSÉE !.. HIHIHI... ON VA FINIR PAR FAIRE QUELQUE CHOSE DE TOI
IL NOUS RESTE TOUT JUSTE DE QUOI MANGER DEUX JOURS, QUATRE EN NOUS RATIONNANT ! ET PLUS RIEN POUR RACHETER DE NOUVEAUX VIVRES ! DAMN ! NOUS VOICI ACCULÉS AU PIRE !
GIR
35C

PLUS QUESTION D'APPLIQUER LE PLAN INITIAL !.. DÈS CETTE NUIT, NOUS FONCERONS AU PLUS COURT VERS LE MEXIQUE, À TRAVERS LE DÉSERT DE MIMBRES ET LES CEDAR MOUNTAINS...
HEUREUSEMENT, LA RUSE DE TSI-NA-PAH A VIDÉ LA CONTRÉE DE TOUTES LES TUNIQUES BLEUES !
SITÔT SORTIS DE L'ABRI DES ARBRES, NOTRE PEUPLE SERA VITE REPÉRÉ !..
LES NAVAJOS DOIVENT AVOIR PASSÉ LA FRONTIÈRE AVANT QUE LES LONGUES-LAMES AIENT EU LE TEMPS DE REBROUSSER CHEMIN ET DE LES RATTRAPER...
ENFIN! CETTE FOIS, JE TIENS TOUTE LA TRIBU... HI! HI! HI!
C'EST POUR LA CAPTURE QUE ÇA SE GÂTE !.. DAMN IT! IL NE RESTE PLUS UN SEUL DE CES FICHUS TRAÎNEURS DE SABRE ENTRE BENSON ET EL PASO !
ALORS LES ANCIENS !.. ON DIRAIT QUE VOUS VOUS ÊTES FAIT PIÉGER COMME DES PIEDS-TENDRES, CETTE FOIS !
... COMME DES PIEDS-TENDRES, TU L'AS DIT !..
TU NOUS EN VEUX, HEIN FISTON ?
J'EN SUIS MORT DE HONTE !
VOUS EN VOULOIR ?!.. BAH !.. JE PRÉFÈRE VOUS OFFRIR UN MOYEN DE RATTRAPER LE COUP !..
PARLE, MILLE PUTOIS !
ON T'ÉCOUTE

D'ICI LA FRONTIÈRE MEXICAINE LE DANGER SERA DEVANT NOUS ! VOUS NOUS PRÉCÉDEREZ POUR NOUS FOURNIR LE TEMPS D'Y FAIRE FACE !
BIEN VU !.. PERSONNE SE MÉFIERA DE NOUS ! C'EST O.K. POUR MOI !..
ÉCLAIREUR ! C'EST O.K. POUR MOI AUSSI, FISTON !..

ET, BIEN AVANT LE LEVER DU SOLEIL
ON PEUT PARTIR, TSI-NA-PAH !
RED !.. MAC !.. PRENEZ DEUX HEURES D'AVANCE SUR NOUS ET REVENEZ AU GALOP AU MOINDRE INDICE SUSPECT !..
ÇA TE LAISSERA TROP PEU DE TEMPS, MIKE ! JE FERAI PLUTÔT PÉTER UN BÂTON DE DYNAMITE ! ON EN A TOUTE UNE CARGAISON DANS NOS FONTES !

MERCI MON CHIEN !.. SANS TOI, JE LOUPAIS LE DÉPART DE CES COYOTES !..
GIR
36

BEAUCOUP PLUS TARD À L'AUBE
ILS QUITTENT L'ABRI DES SIERRAS! PLEIN SUD! HI!HI!HI! PARDI! LEUR SEULE CHANCE DE SALUT, MAINTENANT, C'EST D'ATTEINDRE LE POINT LE PLUS PROCHE DE LA FRONTIÈRE MEXICAINE...
LE COEUR DE CHINI EST INQUIET! DEPUIS TANT DE JOURS NOTRE LONGUE FUITE A ÉPUISÉ COCHISE... ET SQUAWS ET PAPOOSES NE RÉSISTERONT PAS LONGTEMPS NON PLUS À CETTE MARCHE FORCÉE!
O.K.! ARRÊTONS-NOUS! D'AILLEURS CETTE POUSSIÈRE NOUS REND TROP REPÉRABLES! DORÉNAVANT, NOUS NOUS TERRERONS LE JOUR ET N'AVANCERONS QUE DE NUIT!
DAMN! ÇA TOURNE À L'EXPÉDITION-SUICIDE. À CE TRAIN-LÀ NOUS N'ATTEINDRONS PAS LA FRONTIÈRE AVANT QUATRE JOURS!
CEPENDANT
HEY! PLUS DE POUSSIÈRE!
CES RATS ONT DÛ FAIRE HALTE! HELL! IL ME FAUDRAIT AU MOINS DIX JOURS POUR RATTRAPER ET RAMENER LES TROUPES DE CET IDIOT DE MILLER! D'ICI LÀ, LES ROUGES SERONT AU MEXIQUE DEPUIS LONGTEMPS
LE SEUL QUI SOIT ENCORE EN POSITION DE LEUR BARRER LE CHEMIN, C'EST CE PUTOIS DE HICOCK! AVEC SON TRAIN BOURRÉ DE CRAPULES QUI PATROUILLE LE LONG DE LA FRONTIÈRE!
SI JE RÉUSSIS À CONTOURNER LES NAVAJOS ET À LES DEVANCER SUFFISAMMENT, IL ME RESTE UNE CHANCE DE L'ALERTER À TEMPS...
J'EN CRÈVE DE RAGE MAIS JE N'AI PAS LE CHOIX!
CE SOIR-LÀ
VOICI LA NUIT! GRAND-PÈRE NOUS DEVONS REPARTIR!
MON PÈRE EST TROP FATIGUÉ POUR TENIR À CHEVAL JUSQU'À L'AUBE
MILLE PUTOIS! FAUDRAIT L'TRANSPORTER
COCHISE NE RETARDERA PAS LA FUITE DES SIENS! QU'ILS LE LAISSENT ICI... SEUL!
JAMAIS LES NAVAJOS N'ABANDONNERONT LEUR CHEF... J'AI FAIT PRÉPARER UN TRAVOIS POUR COCHISE
AU MÊME INSTANT
OUF! J'AI DÛ FAIRE UN SACRÉ DÉTOUR MAIS J'AI FINI PAR DÉPASSER CETTE RACAILLE SANS ME FAIRE REPÉRER!
...ET NOUS L'INTERCEPTERONS À COUP SÛR... SA ROUTE N'A PAS DÉVIÉ D'UN POUCE!
37 GIR

AFFIRMATION HÂTIVE CAR, NON LOIN DE LÀ...
RED!.. VOIS-TU CE QUE JE VOIS ?! LÀ!...
EGGSKULL! ICI!? GOOD LORD! IL FAUT SAVOIR OÙ CE PUTOIS COURT SI VITE!..

NUIT APRÈS NUIT, À TRAVERS UNE RÉGION HEUREUSEMENT QUASI DÉSERTIQUE... LA HORDE ÉPUISÉE DES NAVAJOS A POURSUIVI SON LONG CALVAIRE VERS LE SUD
COCHISE A VU EN RÊVE LE GRAND ESPRIT!
SA VIE SERA LE PRIX DU SALUT DE SON PEUPLE! COCHISE NE REVERRA PAS LA LIBRE TERRE DU MEXIQUE
MAIS SI GRAND-PÈRE!.. DEMAIN DANS LA NUIT, NOUS FRANCHIRONS LA PISTE DU CHEVAL DE FER ET LA NUIT SUIVANTE LA FRONTIÈRE! NOUS VOICI PRESQUE SAUVÉS

MAIS, AU MÊME MOMENT
LA VOIE DU SOUTHERN PACIFIC RAILROAD!
J'AI DÛ PRENDRE UN JOUR D'AVANCE À LA VERMINE ROUGE! RESTE À TROUVER LE TRAIN DE CE SALOPARD D'HICOCK!..

ROULE-T-IL VERS L'EST OU L'OUEST? EST-IL EN TRAIN DE S'ÉLOIGNER OU DE S'APPROCHER DE MOI?! BLAST IT!!! FAUT QUE JE LE RAMÈNE ICI!..

LE SOUTHERN PACIFIC... VOILÀ OÙ COURAIT CE PUTOIS!.. VERS HICOCK ET SON TRAIN QUI FONT LA NAVETTE LE LONG DE LA FRONTIÈRE!..
REGARDE! EGGSKULL A TROUVÉ LE MOYEN DE LE PRÉVENIR SANS SE FATIGUER!

PAW

SITÔT AVERTI QUE LES FILS DU TÉLÉGRAPHE SONT COUPÉS, HICOCK PENSERA QUE CE SONT LES NAVAJOS QUI TRAVERSENT ET RAPPLIQUERA ICI AUSSITÔT!..
IL FAUT QUE LA TRIBU AIT FRANCHI LA VOIE AVANT QU'ILS SOIENT LÀ!.. JE FONCE PRÉVENIR MIKE!

MAIS, À L'AUBE, À 200 MILES DE LÀ
B'ALORS LEWIS... POURQUOI QU'TU NOUS AS STOPPÉS!?
UN CÂBLE DE TUCSON POUR HICOCK! LE TÉLÉGRAPHE A ÉTÉ COUPÉ ENTRE LORDSBURG ET DEMING!..
LES INDIENS! BART! MACHINE ARRIÈRE! À TOUTE VAPEUR!

BIENTÔT
BILL! C'EST PEUT-ÊTRE UN PIÈGE ET NOUS NOUS Y RUONS!.. IL EST INIMAGINABLE QUE LES NAVAJOS SOIENT SI LOIN À L'EST
ÇA EXPLIQUERAIT POURTANT POURQUOI QUATRE ARMÉES BATTENT LE RESTE DU PAYS DEPUIS TROIS SEMAINES SANS RIEN TROUVER!.. JIM!. QUAND ARRIVERONS-NOUS?
DEMAIN SOIR, BILL!. SI LA CHAUDIÈRE TIENT LE COUP!

CEPENDANT, McCLURE A ENFIN REJOINT LA COLONNE DES FUYARDS
IMPOSSIBLE DE REPRENDRE LA MARCHE TOUT DE SUITE, MAC... LES HOMMES ET LES BÊTES SONT COMPLÈTEMENT À BOUT!
ALORS C'EST FOUTU, MIKE!.. QUAND NOUS ATTEINDRONS LA VOIE FERRÉE IL SERA TROP TARD!. HICOCK ET SES MERCENAIRES NOUS BARRERONT LA ROUTE...

EN EFFET, VERS LA FIN DE L'APRÈS-MIDI...
HEY!.. Y A UN TYPE QUI GESTICULE, LÀ-BAS, PRÈS DES FILS BRISÉS
PAR L'ENFER! ON DIRAIT CETTE IMMONDE CANAILLE D'EGGSKULL!.. S'IL EST ICI, C'EST QUE LES ROUGES NE SONT PAS LOIN!.. SLIM! STOPPE LA MACHINE!.. JIM! FAIS DÉBARQUER HOMMES ET CHEVAUX!

ET, UN PEU PLUS TARD, RED NECK ASSISTE, IMPUISSANT, AU DÉBARQUEMENT DES MERCENAIRES
DAMN!.. ILS ONT DES CHEVAUX!.. JE DOIS PRÉVENIR MIKE... LES NAVAJOS NE PASSERONT JAMAIS!..

VOICI LA NUIT, BILL!.. MIEUX VAUT ATTEINDRE LES ROUGES, EMBUSQUÉS LE LONG DE LA VOIE ET INVISIBLES DANS LE NOIR! COMME ILS IGNORENT NOTRE PRÉSENCE ET NE SE MÉFIENT PAS NOUS LES ENTENDRONS APPROCHER!
HM.. C'EST TOUT À FAIT LA TACTIQUE QUE J'AURAIS ADOPTÉE! JIM! ÉLOIGNEZ LE TRAIN D'UNE DIZAINE DE MILES!

DEUX HEURES DE GALOP PLUS TARD RED NECK A REJOINT LE CAMP NAVAJO
HICOCK A POSTÉ DES GUETTEURS LE LONG DES RAILS, SUR 3 MILES DE PART ET D'AUTRE DU GROS DE SA TROUPE!
HELL!.. C'EST UN DÉTOUR DE PLUS DE 10 MILES QU'IL NOUS FAUDRAIT FAIRE POUR LES CONTOURNER SANS ÊTRE REPÉRÉS!
IMPOSSIBLE!

À L'AUBE, IL FAUT QUE NOUS AYONS ATTEINT L'ABRI DE LA SIERRA LOIN AU-DELÀ DE LA PISTE DE FER!.. AVEC CE DÉTOUR NOUS SERONS À DÉCOUVERT QUAND LE JOUR SE LÈVERA!
QUE CHINI ME DONNE MON BÂTON DE COMMANDEMENT ET MES ARMES ET RASSEMBLE TOUS LES ANCIENS!.. ALLEZ!..
FAUDRAIT CRÉER UNE DIVERSION QUI ÉLOIGNE HICOCK ET SA BANDE!
PÈRE!

C'EST NOUS QUI ATTIRERONS LES BLANCS AU LOIN... AU MOINS, NOUS MOURRONS DEBOUT, EN GUERRIERS UTILES À LEUR PEUPLE!..
J'AI DIT!..
QUE NUL NE S'AVISE DE CONTESTER MA DÉCISION!..

PAS UNE VOIX N'A OSÉ S'ÉLEVER. UNE DERNIÈRE FOIS, L'AUTORITÉ DU VIEUX CHEF RESPECTÉ A SUBJUGUÉ LES SIENS... ET BIENTÔT...
NOUS TRAVERSERONS LA PISTE DE FER LOIN À L'OUEST... LES BLANCS CROIRONT QUE TOUTE LA TRIBU LA FRANCHIT...
VITTORIO! JE TE CONFIE MON PEUPLE ET CHINI... HUGH!
LE BÂTON DE COMMANDEMENT!!! QUE LE GRAND ESPRIT VEILLE SUR COCHISE ET SES COMPAGNONS!

PARTONS! IL FAUT NOUS RAPPROCHER LE PLUS POSSIBLE DE LA VOIE, MAINTENANT... ET DANS UN SILENCE TOTAL!
MILLE PUTOIS!.. TOUS CES VIEUX M'EN BOUCHENT UN COIN!

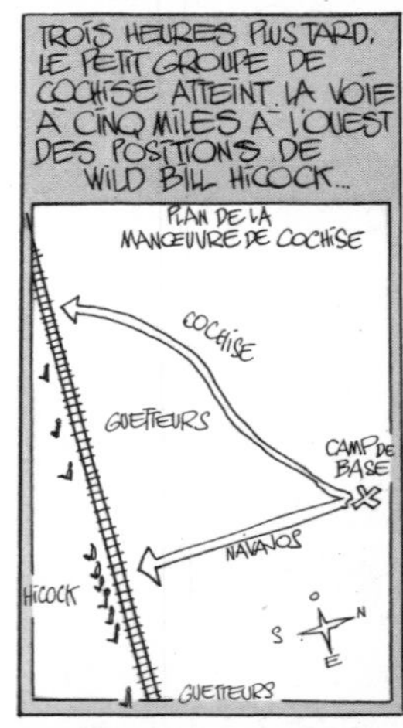
TROIS HEURES PLUS TARD, LE PETIT GROUPE DE COCHISE ATTEINT LA VOIE À CINQ MILES À L'OUEST DES POSITIONS DE WILD BILL HICOCK...
PLAN DE LA MANOEUVRE DE COCHISE
COCHISE
GUETTEURS
CAMP DE BASE
NAVAJOS
HICOCK
S
N
E
GUETTEURS

C'EST AUSSITÔT UN ÉTRANGE MANÈGE...
PASSEZ ET REPASSEZ LA PISTE DE FER COMME SI UNE TROUPE NOMBREUSE LA TRAVERSAIT!
CLANG
CABANG

ET, À DEUX MILES EN AVAL...
ALORS!? T'ENTENDS QUELQUE CHOSE?
C'EST FAIBLE MAIS NET!.. CES DAMNÉS ROUGES ONT FAILLI NOUS ROULER UNE FOIS DE PLUS! ILS SONT EN TRAIN DE FRANCHIR LA VOIE LÀ OÙ PERSONNE NE LES ATTENDAIT!

À UNE HEURE DE LÀ...
UNE FUSÉE! C'EST LE SIGNAL!
DAMN IT!.. AUX CHEVAUX!.. VITE!
MIKE!.. ÇA Y EST!.. ILS SONT TOMBÉS DANS LE PANNEAU!..
ILS FONCENT VERS L'OUEST!.. LE VIEUX A GAGNÉ, MILLE PUTOIS!..
DIEU LE PROTÈGE!.. VITTORIO! EN AVANT!!! ON TRAVERSE DÈS QU'ILS SONT HORS DE VUE!..
LES SABOTS DES CHEVAUX EMMAILLOTÉS DE CHIFFONS POUR ÉTOUFFER LE MOINDRE CHOC CONTRE L'ACIER DES RAILS, LA TRIBU FANTÔME FRANCHIT LA VOIE
ENTRETEMPS, NON LOIN DE LÀ
PLUS VITE!..
IL FAUT MAINTENANT ENTRAÎNER LES BLANCS LE PLUS LOIN POSSIBLE DES NÔTRES
UNE HEURE PLUS TARD
BILL!.. C'EST ICI QU'ILS ONT TRAVERSÉ
VAS-Y!.. LÂCHE TON FAUVE!..
AU MÊME INSTANT
ARRÊTEZ!.. COCHISE EST TOMBÉ!..
COCHISE A USÉ SES DERNIÈRES FORCES! C'EST L'HEURE POUR LUI D'ENTAMER SON CHANT DE MORT! QUE SES FRÈRES LE LAISSENT SEUL!..

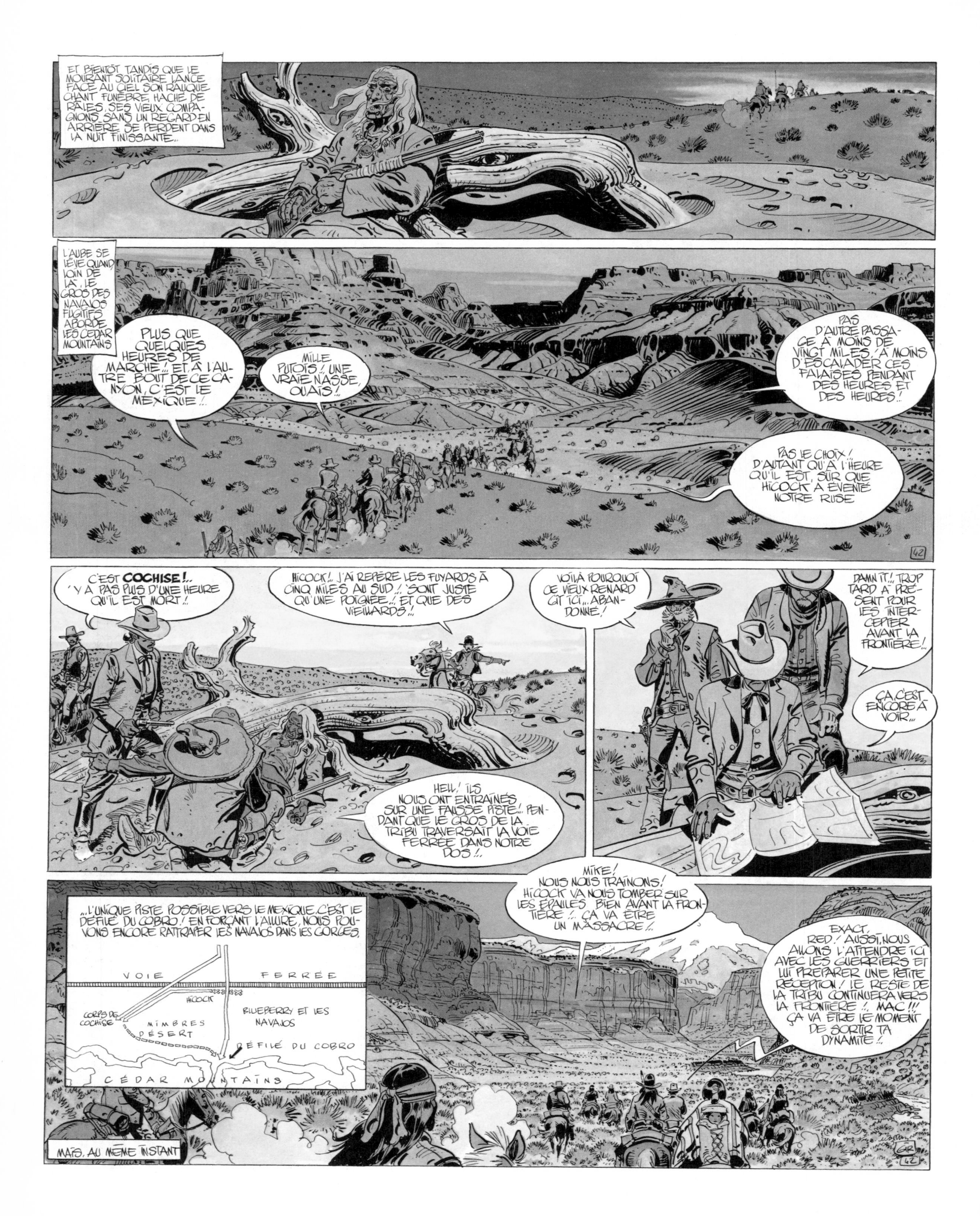
ET BIENTÔT, TANDIS QUE LE MOURANT SOLITAIRE LANCE FACE AU CIEL SON RAUQUE CHANT FUNÈBRE, HACHÉ DE RÂLES, SES VIEUX COMPAGNONS, SANS UN REGARD EN ARRIÈRE SE PERDENT DANS LA NUIT FINISSANTE...
L'AUBE SE LÈVE QUAND, LOIN DE LÀ, LE GROS DES NAVAJOS FUGITIFS ABORDE LES CEDAR MOUNTAINS
PLUS QUE QUELQUES HEURES DE MARCHE !.. ET, À L'AUTRE BOUT DE CE CANYON, C'EST LE MEXIQUE !..
MILLE PUTOIS !.. UNE VRAIE NASSE, OUAIS !..
PAS D'AUTRE PASSAGE À MOINS DE VINGT MILES, À MOINS D'ESCALADER CES FALAISES PENDANT DES HEURES ET DES HEURES !..
PAS LE CHOIX ! D'AUTANT QU'À L'HEURE QU'IL EST, SÛR QUE HICOCK A ÉVENTÉ NOTRE RUSE
C'EST COCHISE !.. Y'A PAS PLUS D'UNE HEURE QU'IL EST MORT !..
HICOCK !.. J'AI REPÉRÉ LES FUYARDS À CINQ MILES AU SUD !.. 'SONT JUSTE QU'UNE POIGNÉE !.. ET QUE DES VIEILLARDS !..
HELL ! ILS NOUS ONT ENTRAÎNÉS SUR UNE FAUSSE PISTE !.. PENDANT QUE LE GROS DE LA TRIBU TRAVERSAIT LA VOIE FERRÉE DANS NOTRE DOS !..
VOILÀ POURQUOI CE VIEUX RENARD GÎT ICI... ABANDONNÉ !
DAMN IT !.. TROP TARD À PRÉSENT POUR LES INTERCEPTER AVANT LA FRONTIÈRE !..
ÇA, C'EST ENCORE À VOIR...
...L'UNIQUE PISTE POSSIBLE VERS LE MEXIQUE, C'EST LE DÉFILÉ DU COBRO ! EN FORÇANT L'ALLURE, NOUS POUVONS ENCORE RATTRAPER LES NAVAJOS DANS LES GORGES.
VOIE FERRÉE
HICOCK
CORPS DE COCHISE
MIMBRES DÉSERT
BLUEBERRY ET LES NAVAJOS
DÉFILÉ DU COBRO
CÉDAR MOUNTAINS
MIKE ! NOUS NOUS TRAÎNONS ! HICOCK VA NOUS TOMBER SUR LES ÉPAULES BIEN AVANT LA FRONTIÈRE !.. ÇA VA ÊTRE UN MASSACRE !..
EXACT, RED ! AUSSI, NOUS ALLONS L'ATTENDRE ICI AVEC LES GUERRIERS ET LUI PRÉPARER UNE PETITE RÉCEPTION ! LE RESTE DE LA TRIBU CONTINUERA VERS LA FRONTIÈRE !.. MAC !!! ÇA VA ÊTRE LE MOMENT DE SORTIR TA DYNAMITE !..
MAIS, AU MÊME INSTANT
42
GIR 62

VOILÀ CE QUE NOUS VOULONS, MAC ! SUR CENT YARDS DE LONG DANS L'AXE DU GOULET SIX CHAPELETS DE BÂTONS DE DYNAMITE À RAISON D'UNE CARTOUCHE TOUS LES DIX YARDS !!!

CEPENDANT CREVANT LEURS MONTURES POUR REFAIRE LEUR RETARD HICOCK ET SES CAVALIERS ONT ATTEINT L'ENTRÉE DES GORGES DU COBRO
HEY! ON DIRAIT QUE BAAL A RENIFLÉ DE L'INDIEN ?! OOH !.. LÀ-BAS !.. DES TRACES PAR CENTAINES !.. BILL ! ON LES TIENT !..
CETTE FOIS AUCUNE RUSE NE POURRA LES SAUVER !.. HA ! HA ! HA !!!
LA PISTE EST TOUTE FRAÎCHE J'AI VU JUSTE ! ENCORE UN EFFORT, KIDS !
WAF WAF

ENTRETEMPS
CHAQUE CHAPELET EST ESPACÉ DES AUTRES DE 15 YARDS ET SOLIDEMENT ARRIMÉ AU SOL, FILS !.. ET J'AI UTILISÉ DU CORDEAU À COMBUSTION ULTRA-RAPIDE !.. IL RESTE PLUS QU'À RÉUNIR LES BOUTS !
ATTENTION ! TOUT DOIT ÊTRE ABSOLUMENT INVISIBLE SOUS LES HERBES ET LES SAGE-BRUSHES !..

AU MÊME INSTANT

DAMN !.. IMPOSSIBLE DE MANŒUVRER OU MÊME DE DÉGAGER RAPIDEMENT DANS CE COUPE-GORGE !.. C'EST LE LIEU RÊVÉ POUR UN TRAQUENARD !..

HIHI !.. BAAL FLAIRERA LE DANGER DE LOIN !..
EGGSKULL !.. PRÉCÈDE-NOUS DE 500 YARDS AVEC TON CHIEN ET CINQ HOMMES ! ET REPLIEZ-VOUS AU MOINDRE SIGNE SUSPECT !

LA COLONNE S'ENFONCE DEPUIS UNE HEURE AU CREUX DES GORGES QUAND, SOUDAIN, L'APPEL DU COYOTE ÉVEILLE LES ÉCHOS DU COBRO CANYON
WOO HOOU

EGGSKULL !.. TU AS ENTENDU ? ON DIRAIT UN SIGNAL !..
BAAL GRONDE ! IL A SENTI UN DANGER ! JUSTE APRÈS CE COUDE !.. AVERTE HICOCK !.. VITE !..

OOH!.. ILS NOUS BARRENT LE PASSAGE POUR PROTÉGER LE RESTE DES FUYARDS!.. HIHIHI!.. ILS SONT AUX ABOIS!
ATTENDONS HICOCK! UNE CHARGE GÉNÉRALE BALAIERA TOUTE CETTE RACAILLE!..

ÇA Y EST!.. VOILÀ LE GROS DE LA TROUPE!.. HÉ! MIKE!.. ILS SONT AU MOINS TROIS FOIS PLUS NOMBREUX QUE NOUS!..
AUCUNE IMPORTANCE!.. VITTORIO!.. TOUT EST O.K.?..
TOUT ÊTRE O.K. TSI-NA-PAH!.. NOUS FUIR COMME LAPINS LONGUES-OREILLES DEVANT TRIBU DE COYOTES!

OH! BILL!.. CES FICHUS PUTOIS ROUGES TOURNENT BRIDE!.. ILS DÉCAMPENT!
NOTRE NOMBRE LES A ÉPOUVANTÉS! CHAPS! AU GALOP!.. DÉPLOYEZ-VOUS!..

IL NE FAUT PLUS QU'ILS NOUS ÉCHAPPENT!.. EN AVANT!.. CHARGE!
TUE! TUE!.. PAS DE QUARTIER

SERREZ LES RANGS!! GO! GO!!
MAIS, MASQUÉS PAR LES HERBES SÈCHES ET LES SAGE-BRUSHES DES LASSOS TENDUS BARRENT TOUTE LA LARGEUR DU CANYON

ET SOUDAIN, LES PATTES FAUCHÉES NET, EN PLEINE RUÉE, TOUS LES CHEVAUX DE TÊTE CULBUTENT PÊLE-MÊLE! TANDIS QU'AVANT MÊME D'AVOIR PU FREINER LEUR ÉLAN, LES RANGS SUIVANTS S'ABATTENT SUR EUX DANS UNE TOTALE CONFUSION

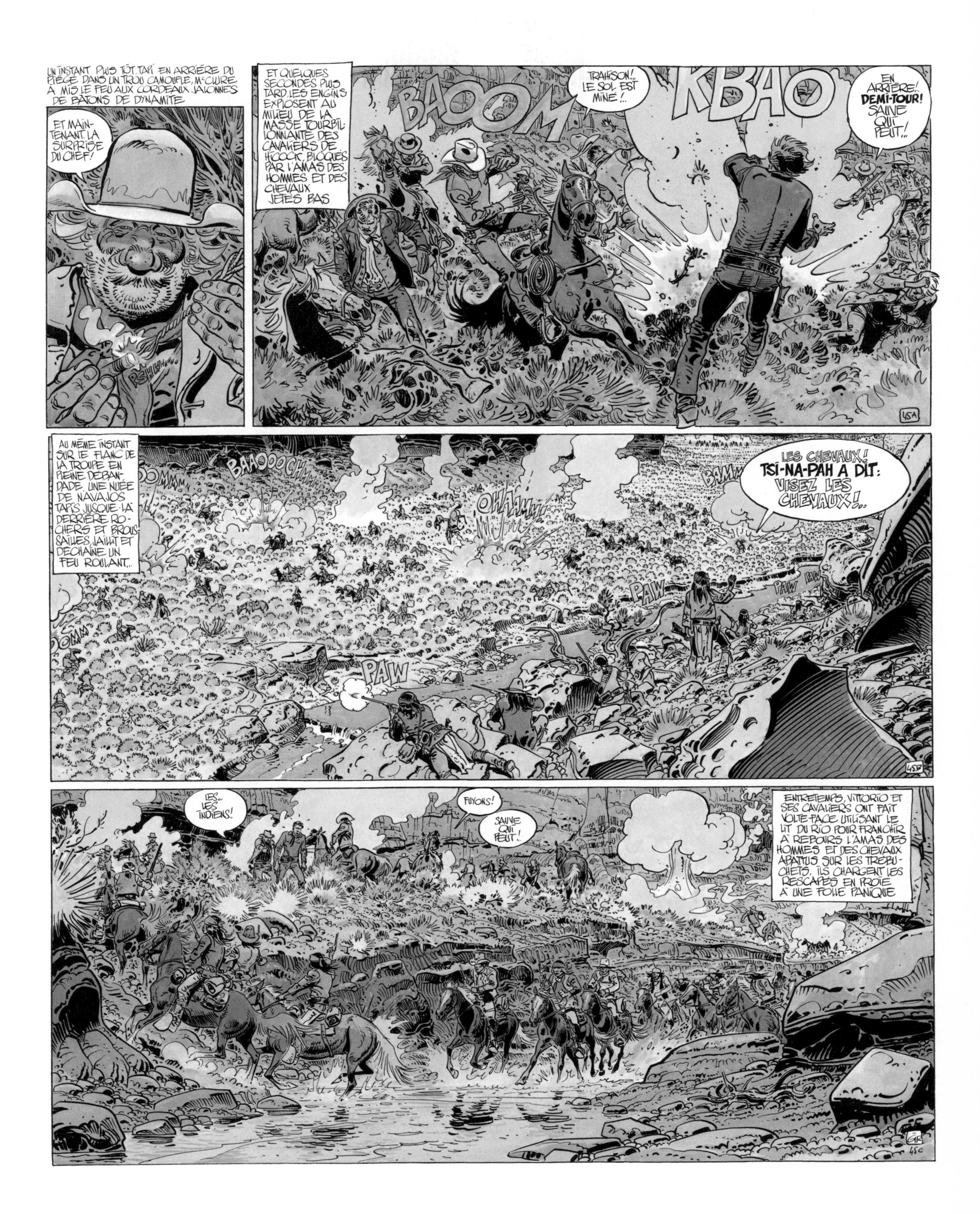
UN INSTANT PLUS TÔT, TAPI EN ARRIÈRE DU PIÈGE DANS UN TROU CAMOUFLÉ, McCLURE A MIS LE FEU AUX CORDEAUX JALONNÉS DE BÂTONS DE DYNAMITE
ET MAINTENANT, LA SURPRISE DU CHEF!
ET QUELQUES SECONDES PLUS TARD, LES ENGINS EXPLOSENT AU MILIEU DE LA MASSE TOURBILLONNANTE DES CAVALIERS DE H'COCK, BLOQUÉS PAR L'AMAS DES HOMMES ET DES CHEVAUX JETÉS BAS
BAOOM
TRAHISON!.. LE SOL EST MINÉ!..
KBAO
EN ARRIÈRE! DEMI-TOUR! SAUVE QUI PEUT!..
AU MÊME INSTANT SUR LE FLANC DE LA TROUPE EN PLEINE DÉBANDADE, UNE NUÉE DE NAVAJOS TAPIS JUSQUE-LÀ DERRIÈRE ROCHERS ET BROUSSAILLES, JAILLIT ET DÉCHAÎNE UN FEU ROULANT...
BAAOOOCHMM
LES CHEVAUX! TSI-NA-PAH A DIT: VISEZ LES CHEVAUX!..
PAW
PAW
LES... LES INDIENS!
FUYONS!
SAUVE QUI PEUT!
ENTRETEMPS, VITTORIO ET SES CAVALIERS ONT FAIT VOLTE-FACE UTILISANT LE LIT DU RIO POUR FRANCHIR À REBOURS L'AMAS DES HOMMES ET DES CHEVAUX ABATTUS SUR LES TRÉBUCHETS. ILS CHARGENT LES RESCAPÉS EN PROIE À UNE FOLLE PANIQUE

MAIS, ÉPOUVANTÉS, RÉDUITS DES DEUX TIERS, LES DÉBRIS DE LA COLONNE DE HICOCK NE SONGENT PLUS QU'À FUIR
STOP! INUTILE DE CONTINUER LA CHASSE! ILS NE SONT PAS PRÈS DE S'ARRÊTER! GOOD LORD!.. J'ESPÉRAIS MOINS DE CASSE!
TE BILE PAS, MIKE!.. EUX NOUS AURAIENT MASSACRÉS JUSQU'AU DERNIER! WILD BILL AVAIT RECRUTÉ LA PIRE RACAILLE DE L'OUEST... DOMMAGE QU'IL NOUS AIT ÉCHAPPÉ, CELUI-LÀ.
VITTORIO!.. JE PENSE QU'IL EST TEMPS DE REPARTIR!..
QU'ON LAISSE LES VISAGES PÂLES ENTERRER LEURS MORTS ET EMPORTER LIBREMENT LEURS BLESSÉS!
QUE JE SOIS PENDU SI ON LEUR A PAS RETIRÉ À TOUT JAMAIS LE GOÛT DE LA CHASSE À L'INDIEN..
HEY! RED!.. LÀ! LE VIEUX JIMMY!..
HEY! FISTON!.. VIENS DONC VOIR PAR ICI!..
GOOD LORD!... EGGSKULL! MORT?
MORT!
ÉCRASÉ ET ÉTOUFFÉ PAR CEUX QUI ONT CHUTÉ DESSUS... QUANT À SON CHIEN, IL A CHERCHÉ À M'ÉCORCER! J'AI DÛ QUASIMENT LE TRUFFER DE PLOMB!
LES GUERRIERS VICTORIEUX ONT ENFIN REJOINT LE RESTE DE LA TRIBU ET, APRÈS CINQ HEURES DE MARCHE À TRAVERS LE DÉDALE DE COBRO CANYON...
LÀ!.. LE RIO CASAS GRANDES!
NOUS SOMMES AU MEXIQUE!
J'AI TENU LE SERMENT FAIT À COCHISE, VITTORIO! VOICI TON PEUPLE EN SÉCURITÉ... ET LE MOMENT OÙ NOS PISTES SE SÉPARENT!
JAMAIS LES NAVAJOS N'OUBLIERONT! MON FRÈRE AURA TOUJOURS SA PLACE PARMI LES GUERRIERS DE SON PEUPLE!
POURQUOI TSI-NA-PAH NOUS QUITTE-T-IL? IL N'A PLUS RIEN À ESPÉRER DU MONDE DES BLANCS...
SI... LA JUSTICE! ET MON ULTIME CHANCE DE L'OBTENIR SE NOMME VIGO! (1) ADIOS CHINI! RENDS VITTORIO HEUREUX! C'EST UN GRAND CHEF DIGNE DE TON AMOUR!
HEY!.. ET VOUS?.. OÙ ALLEZ-VOUS?.. LES ÉTATS-UNIS, C'EST PAR-LÀ!.. DERRIÈRE!..
MILLE PUTOIS, GAMIN!.. VIGO EST UN CORIACE! T'AURAS BESOIN D'UN SACRÉ COUP DE MAIN. HI, HI, HI!..
D'AILLEURS ÇA CHAUFFE UN PEU TROP POUR NOUS DE L'AUTRE CÔTÉ. MIEUX VAUT CHANGER D'AIR UN BOUT DE TEMPS! ET PUIS, J'ADORE LA CUISINE PIMENTÉE!
FIN
PROCHAIN ÉPISODE "LA DERNIÈRE CARTE"
(1) VOIR "CHIHUAHUA PEARL"

GIR

CE SOIR-LÀ, À CHIHUAHUA, CAPITALE DE L'ÉTAT DU MÊME NOM, AU NORD DU MEXIQUE...
MILLE PUTOIS! PAS LA PEINE DE S'ÊTRE PLANQUÉS COMME DES VOLEURS PENDANT 300 MILES, DEPUIS QU'ON A QUITTÉ LES NAVAJOS, POUR FINIR PAR SE JETER COMME ÇA DANS LA GUEULE DU LOUP!
LE VIEUX A RAISON MIKE!... MÊME TROIS ANS APRÈS, ON DOIT PAS NOUS AVOIR OUBLIÉS DANS CE DAMNÉ PIÈGE À RATS!...
GIR
1A
SHUT UP LES DUETTISTES!... IL FAIT SOMBRE ET LA VILLE GROUILLE D'ÉTRANGERS!... ON EST CENT FOIS MOINS REPÉRABLES ICI QUE SUR LA PISTE...
D'AILLEURS, PAS LE CHOIX!... C'EST LE SEUL ENDROIT OÙ J'AIE UNE CHANCE DE RETROUVER LA PISTE DE CE RASCAL DE VIGO... ET PLUS PRÉCISÉMENT : ICI!...
LA CASA ROJA! MILLE PUTOIS, PAS UN LAMPION DE CHANGÉ DEPUIS L'ÉPOQUE DE PEARL!
HÉHÉ!... C'ÉTAIT LE BON TEMPS OÙ CETTE FICHUE BELLE GARCE RAVAGEAIT LES COEURS!...
HEY!... BOUCLEZ UN PEU L'ALBUM-SOUVENIR, OLD CHAPS!... C'EST LE MEILLEUR MOYEN DE NOUS FAIRE REPÉRER!
CABALLOS SEÑORES!...
M'EST AVIS QUE TU DEVRAIS ÉVITER DE TROP MONTRER TA TÊTE DANS LA SALLE DU BAS, KID!...
C'EST VRAI!... LAISSE-NOUS FAIRE! TOI, T'ES UN PEU TROP CÉLÈBRE!
OK!... JE LOUE UNE CHAMBRE ET JE VOUS Y ATTENDS.
GIR
1B

ÇA FAIT AU MOINS VINGT MOIS QUE J'AI PAS PRIS DE BAIN CHAUD, NI DORMI DANS UN VRAI LIT... ET SI J'EN JUGE PAR L'ODEUR, TOI NON PLUS, HEIN MAC ?!...
!!?
BOF ! TU SAIS, MOI, LES BAINS CHAUDS !...
EL DIARIO
2A

UNE... UNE SEULE CHAMBRE POUR TROIS ?...
PEU IMPORTE POUR COMBIEN ?! DU MOMENT QU'IL Y A UNE BAIGNOIRE ET DE L'EAU CHAUDE !...
ON PEUT PAS SE PASSER L'UN DE L'AUTRE, AMIGO !...
CES GRINGOS !... OÙ DIABLE LES AI-JE DÉJÀ VUS ?...

C'EST VINGT-CINQ PESOS !... ET ON PAYE D'AVANCE !... EH BIEN, CABALLEROS, À CHIHUAHUA POUR AFFAIRES ?... C'EST LA PREMIÈRE FOIS QU'ON VOUS VOIT DANS CETTE BONNE VILLE ?...
TU L'AS DIT, MILLE PUTOIS !...

ET VOILÀ !... VINGT-CINQ ! NOUS VENONS PRENDRE LIVRAISON D'UN TROUPEAU À DESTINATION D'ABILENE !... NOUS SERONS PAYÉS LÀ-BAS !...
!!?

HON HON !... SI ON NOUS EN LAISSE LE TEMPS... J'AI PAS AIMÉ LES QUESTIONS DU TYPE EN BAS !...
POUAH !... C'EST MOU COMME DE LA CHIQUE ! JAMAIS JE POURRAI DORMIR SUR CE TRUC !...
O.K. RÉCURE-TOI EN VITESSE, FILS, PUISQUE ÇA T'AMUSE !!! RED ET MOI ON VA GLANER DES TUYAUX À LA CANTINA !...
2B

HEU... AU FAIT !... T'AURAIS PAS QUELQUES PESOS ?! RIEN DE TEL QUE D'OFFRIR QUELQUES VERRES POUR DÉLIER LES LANGUES !...

LES LANGUES DES AUTRES HEIN JIMMY !... PAS LES **VÔTRES !**
MILLE PUTOIS !... T'AS PAS CONFIANCE MA PAROLE !?

HEY !... Y A À PEINE DE QUOI S'HUMECTER LE GOSIER !!!
C'EST TOUT CE QUI NOUS RESTE DE NOS TROIS MOIS DE TRAVAIL AUX MINES D'ARGENT DE XIMENEZ !...
GIR
2C

HIJO!.. POURQUOI CES GRINGOS MENTENT-ILS? ILS DISENT QUE C'EST LA PREMIÈRE FOIS QU'ILS METTENT LES PIEDS À CHIHUAHUA... ...ET JE LES AI DÉJÀ VUS ICI!...

PANCHO! LES GRINGOS QUI VIENNENT DE MONTER... ILS VONT SÛREMENT PASSER AU SALOON... DONNE LA CONSIGNE POUR QU'ON LES ABREUVE À MES FRAIS, AUTANT QU'IL FAUDRA... JE VEUX DES INFORMATIONS!...

A SUS ORDENES SEÑOR GOMEZ!...

IL FAUT QUE J'ALERTE LE "JEFE" SANS PERDRE UNE MINUTE!

MILLE PUTOIS!.. ENFIN!.. ENFIN LA CIVILISATION!...
EN VOILÀ DEUX!.. C'EST LES VIEUX!.. PERFECTO!.. ILS SERONT MOINS CORIACES QUE CELUI QUI EST RESTÉ LÀ-HAUT!..

DOS CERVEZAS FRESCAS, PATRÓN!..
NOUVEAUX VENUS ICI, HEIN GRINGOS? HA HA HA!..

TÂTEZ PLUTÔT DE CETTE TEQUILA HOMBRES!.. LA DIRECTION VOUS OFFRE LE VERRE DE LA BIENVENUE!...
NOM D'UN PUTOIS!.. DE TOUTE MA GARCE DE VIE, C'EST BIEN LA PREMIÈRE FOIS QUE...

GOSH!.. C'EST DU RAIDE!
MAC!.. TU CROIS QUE...
T'OCCUPE!.. FAUT RESPECTER LES COUTUMES LOCALES!..
ALORS LES GRINGOS... C'EST TRISTE DE BOIRE COMME ÇA, SANS COMPAGNIE...

MON NOM EST LULU-BELLE... JE SUIS DE LA NOUVELLE-ORLÉANS MES CHÉRIS, ET JE FLAIRE LES COMPATRIOTES À TRAVERS N'IMPORTE QUEL BROUILLARD!.. OK!.. JE VOUS OFFRE UN VERRE!...

HEU!.. RAVI DE VOUS CONNAÎTRE, MISS... HEU...
ON NE SE QUITTE PLUS!.. ET N'ALLEZ PLUS VOUS EMPOISONNER AVEC LEUR MAUDITE TEQUILA!...
!?!!
VENEZ!.. VENEZ À MA TABLE!.. MES AMIS SERONT RAVIS DE PARTAGER LEUR BOURBON ENTRE AMÉRICAINS!..

À MOINS, BIEN SÛR, QUE VOUS NE PRÉFÉRIEZ UNE BOUTEILLE DE COGNAC FRANÇAIS!..
3
GIR

CEPENDANT...
TU DIS : TROIS GRINGOS... UN JEUNE COSTAUD NEZ CASSÉ... UN GRAND DÉGINGANDÉ, ET UN PETIT VIEUX STYLE SAC À GNOLE ?...
SI, EXCELENCIA !
CARAÏ !... J'AIME PAS LES REVENANTS !...
HI HI HI !... DITES DONC OLD CHAPS, VOUS TENIEZ UNE SACRÉE SOIF !...
TOM, APPELLE LA SEÑORITA POUR UNE AUTRE BOUTEILLE !...
MILLE PUTOIS C'EST SACREMENT VRAI L'AMI !... ET FAUDRA PAS MAL DE BOUTEILLES POUR RINCER TOUTE LA POUSSIÈRE QUE J'AI AVALÉE CES DERNIERS MOIS !...
UN... UN VRAI MIRACLE QU'ON SOIT TOMBÉS S... SUR HIC HIC !... UNE BRAVE FILLE COMME TOI !... P... P... PATRIOTE... GÉNÉREUSE... ET... ET TOUT ET TOUT !...
JIMMY !... AASSEZ BU !... F'FAUT QU'ON PENSE AAAAA... À NOT' JOB !...
RED ! JUSTE UN C... HIC ! COUP !
OTRA BOTELLA, POR FAVOR !...
UN JOB !? À DES HEURES PAREILLES.
C'T'UN SECRET !... VIGO DOIT PAS SAVOIR QU'ON LE CHCHERCHE... HIC !
VIGO ?
VIGO !...
GIR 4
WAOO !... DU SAVON PARFUMÉ !... JE SAVAIS MÊME PLUS QU'UNE TELLE CHOSE POUVAIT EXISTER, QUERIDA !...
AY QUÉ !... ÇA SE SENTAIT DE LOIN QUERIDO !...
VOTRE COPAIN, VIGO... IL A PEUT-ÊTRE CASSÉ SA PIPE ?...
Y A PAS INTÉRÊT !... ON S'RAIT OBLIGÉS D'ALLER LE CHERCHER AU FIN FOND DE L'ENFER ! HIPS ! HI HI HI !
ET MÊME AU-DELÀ !... HIN HIN !...
SOURB
EH BIEN, MAIS QUELLE BELLE RAGE !... QU'A DONC FAIT CE MALHEUREUX POUR MÉRITER UN TEL ACHARNEMENT ?
IL NOUS DOIT DU FRIC !... HI HI !... OUAIP !... C'EST ÇA MILLE PUTOIS !... IL NOUS DOIT TOUT UN TAS DE FRIC !...
TU VAS FONDRE LÀ-DEDANS, QUERIDO !...
JE PRENDS LE RISQUE !... CETTE BAIGNOIRE, C'EST LE PARADIS !... MAIS RACONTE-MOI LES DERNIÈRES NOUVELLES ! QUE DIT-ON EN VILLE ?...
ICI, TOUT LE MONDE TIENT SA LANGUE, QUERIDO !... LES GENS TIENNENT À LEUR PEAU !... LE NOUVEAU GOUVERNEUR N'EST PAS UN TENDRE !...
PIRE QUE L'ANCIEN ?...
TU VEUX DIRE "LOPEZ" ?... CELUI-LÀ, IL A DISPARU COMME UN DIABLE... NUL NE L'A JAMAIS REVU, TU LE CONNAISSAIS ?...
DE RÉPUTATION, QUERIDA !... SANS PLUS !...
GIR 48

(1) VOIR "CHIHUAHUA PEARL"

VIGO "GOUVERNEUR" GOOD LORD!!!
ET ENCORE MERCI, LULU-BELLE!.. COMME DISAIT CET ABRUTI DE MAC: ÇA A ÉTÉ UNE VRAIE CHANCE DE VOUS RENCONTRER!..
RED!.. J'AI... J'AI DÛ OBÉIR SINON ILS M'EXPULSAIENT!..
GRINGOS!.. JE VOUS ARRÊTE POUR INSULTES PUBLIQUES ET MENACES DE MORT ENVERS LE CHEF DE CET ÉTAT!..
QUELQUES INSTANTS PLUS TARD...
ET BIEN, CHICA... À T'ÉCOUTER, LE GOUVERNEUR EST UN VRAI FORBAN, HEIN!?.. COMMENT IL S'APPELLE, CE...
TOC TOC!...
JE VAIS OUVRIR!..
ATTENDS UN PEU!... QUI EST LÀ?..
C'EST... C'EST MOI, FILS!.. OUVRE!..
VIGO!?!
DÉSOLÉ MIKE!.. ILS M'ONT PAS LAISSÉ LE CHOIX!..
NO TE MUEVES GRINGO!..
HAHAHA! L'OISEAU EST PRIS AU NID!!!
T'AS EU TORT DE REMETTRE LES PIEDS AU MEXIQUE, BLUEBERRY!.. EMBARQUEZ-LE
BRAVO GÉNÉRAL!.. C'EST JUSTEMENT TOI QUE JE VOULAIS VOIR!.. TU M'ÉVITES LA PEINE DE TE CHERCHER!..
PRENEZ LES ARMES DU YANKI!..
LOCO!.. AS-TU OUBLIÉ QUE TU ES RESPONSABLE DE LA MORT DE DIZAINES DE BRAVES SOLDATS MEXICAINS?.. MAIS QU'ESPÉRAIS-TU DONC?
UNE PETITE CONVERSATION ENTRE QUATRE-Z-YEUX, GÉNÉRAL!.. SANS TÉMOINS!..
ÉCOUTE-MOI, GRINGO, JE SUIS MAINTENANT LE GOUVERNEUR DE CET ÉTAT!.. MOI... VIGO! ET JE N'AI PAS LA MOINDRE INTENTION DE PERDRE MON TEMPS AVEC LA RACAILLE AMÉRICAINE QUI VIOLE SANS ARRÊT NOS FRONTIÈRES!.. ENFILE TES BOTTES ET VAMONOS!
OK, OK!!... J'ENFILE MES BOTTES ET J'ARRIVE!..
HEEK ?!!
CUIDADO!.. CETTE LAME EST EFFILÉE, MANOS!.. AU MOINDRE GESTE, JE TRANCHE DANS LE LARD!..
FAITES CE QUE DIT CE FOU, HOMBRES!.. ÉCARTEZ-VOUS!.. DE TOUTE FAÇON, IL N'IRA PAS LOIN!..
ÇA, C'EST À VOIR!.. AINSI, GOUVERNEUR OU PAS, VA FALLOIR QUE TU M'ACCORDES CE TÊTE-À-TÊTE, VIGO!...
68

MAINTENANT, TOUS AU... OW!!
?!
DÉCIDÉMENT TU N'AS PAS DE CHANCE AVEC LES FEMMES, CABRÓN!... EMMENEZ-LE AVEC LES DEUX IVROGNES, VOUS AUTRES!...
BIEN JOUÉ CHICA!.. TU L'AIMES DONC TANT QUE ÇA, TON GOUVERNEUR?
SÍ SEÑOR... MUCHO! HEU!.. MAIS, C'EST MON PÈRE, ADOLPHO MUÑOZ... IL EST À SAN BERNARDINO... NOUS SOMMES SANS NOUVELLES!... ET JE PENSAIS QUE...
PLUS TARD DANS UNE DES GEÔLES DE SAN BERNARDINO...
BLOODY HELL!... C'EST LE TOIT QUI M'EST TOMBÉ SUR LA TÊTE, OU QUOI?
ÇA VA MIEUX FISTON?...
OÙ DIABLE SOMMES-NOUS?
DANS LES CACHOTS DU PALAIS DE VIGO!...
SAN BERNARDINO... L'ANTICHAMBRE DE LA MORT, SEÑOR!... ICI ON NE FAIT PAS DE VIEUX OS...
GIR 7A
LES PELOTONS D'EXÉCUTION DE CE BOUCHER DE VIGO NE CHÔMENT PAS!... JE ME PRÉSENTE : DON IGNACIO MENDOZA Y PEREZ, HACIENDADERO (1).
HEU... MIKE... BLUEBERRY!...
COMMENT DIABLE AVEZ-VOUS ÉCHOUÉ DANS CE CUL-DE-BASSE-FOSSE?
OFFICIELLEMENT POUR AVOIR SOUTENU JADIS L'EMPEREUR MAXIMILIEN! EN RÉALITÉ POUR AVOIR REFUSÉ DE CÉDER...
...MES TERRES À VIL PRIX AU GOUVERNEUR!...
MOI, C'EST UNE COMMISSION SUR MES AFFAIRES COMMERCIALES QU'IL EXIGEAIT, EN ÉCHANGE DE SA PROTECTION BIEN SÛR!
MOI, J'AI OSÉ DÉFENDRE L'HONNEUR DE MA FILLE CONCHITA!... IL L'A FAIT ENLEVER ET MA VIE RÉPOND DÉSORMAIS DE LA DOCILITÉ DE LA MALHEUREUSE.
(1) GRAND PROPRIÉTAIRE DE TERRE À BÉTAIL
BLOOD'N'D GUTS! COMMENT UN PAREIL RASCAL PEUT-IL RESTER GOUVERNEUR?...
ILS DOIVENT BIEN ÊTRE AU COURANT À MEXICO CITY!...
TOUTES NOS PLAINTES SONT DEMEURÉES VAINES... CE RASCAL COMME VOUS DITES DOIT TENIR LE VIEUX PRÉSIDENT JUAREZ POUR D'OBSCURES RAISONS...
IL N'Y A PAS D'AUTRE EXPLICATION... COMMENT, SINON, CETTE CANAILLE AURAIT-ELLE PU OBTENIR LA CHARGE LAISSÉE VACANTE, IL Y A TROIS ANS, PAR LA MYSTÉRIEUSE DISPARITION DU GÉNÉRAL LOPEZ? (1)
DEPUIS, CE FOU SANGUINAIRE PRESSURE ET TERRORISE IMPUDEMMENT L'ÉTAT DE CHIHUAHUA! LIQUIDANT FROIDEMENT COMME REBELLE AU GOUVERNEMENT QUI OSE LUI RÉSISTER.
GIR 7B
(1) VOIR "BALLADE POUR UN CERCUEIL"

TOUT L'ÉTAT GROUILLE D'ESPIONS!... PAS UN RELAIS, PAS UNE POSADA OÙ IL N'AIT SES INDICATEURS! ET TOUT LE MONDE DÉNONCE TOUT LE MONDE.
ÇA, ON S'EN EST APERÇU À LA CASA ROJA!... TROP TARD HÉLAS.
MILLE PUTOIS!... POUR SÛR.

UNE SEULE CHOSE POURRAIT NOUS DÉBARRASSER DE VIGO: UN CHANGEMENT À LA TÊTE DU GOUVERNEMENT... JUAREZ EST VIEUX...
J'AI COMBATTU LES FRANÇAIS AUX CÔTÉS DE JUAREZ. MAIS LE FAIT EST QU'IL PROTÈGE CE CHIEN!...

LE DIABLE SEUL SAIT POURQUOI.
MAIS VIGO S'EST FAIT DE TERRIBLES ET PUISSANTS ENNEMIS JUSQU'À MEXICO... COMBIEN DE TEMPS JUAREZ POURRA-T-IL LES MUSELER?... JE...
HEU HM.
CHUT!... ATTENTION! ON VIENT.

TOI, LE GRINGO!... AMÈNE-TOI.
GOOD LORD, VOUS N'ALLEZ PAS EXÉCUTER UN CITOYEN AMÉRICAIN SANS JUGEMENT!
PUES NON!... C'EST SEULEMENT POUR UNE "ENTREVISTA".
GIR
84

NAVRÉ POUR CES BRACELETS... MAIS DEPUIS LE COUP DU POIGNARD DANS LA BOTTE, LIEUTENANT...
BAH... C'EST UNE PRÉCAUTION QUE JE NE PRENDS QUE PENDANT LE BAIN. C'EST-À-DIRE RAREMENT! MAIS JE TE RAPPELLE QUE VOILÀ BELLE LURETTE QUE J'AI ÉTÉ DÉGRADÉ... GRÂCE À TOI!

RAISON D'ÉTAT, YANKI. JE TE L'AI DÉJÀ DIT, JADIS À FORT DAVIS: TE DISCULPER, C'ÉTAIT RÉVÉLER QUE JUAREZ AVAIT "EMPRUNTÉ" LE TRÉSOR DE GUERRE DE VOS SUDISTES, POUR FINANCER SA PROPRE INSURRECTION!

DIS PLUTÔT QUE TU AS VOLÉ CET OR, VIGO... ENSUITE, POUR GAGNER SES FAVEURS TU L'AS OFFERT À JUAREZ...
QUAND LES CAISSES FURENT VIDES, JUAREZ NE POUVAIT NI RESTITUER NI AVOUER SON "EMPRUNT" AU GOUVERNEMENT AMÉRICAIN.

ET C'EST BIEN PARCE QUE TU POSSÈDES QUELQUE PART LES PREUVES IRRÉFUTABLES DE CET "EMPRUNT" QUE JUAREZ EST FORCÉ DE COUVRIR TES COUPS FOURRÉS!
HA-HA HA!... ADMIRABLEMENT RAISONNÉ, YANKI! TIENS... ÇA MÉRITE UN BON CIGARE!... T'ES DÉCIDÉMENT TRÈS FORT, HEIN?... ET PUIS DANGEREUX QU'UN SERPENT CORAIL!...
GIR

EN VENANT À CHIHUAHUA... ESPÉRAIS-TU VRAIMENT ME FAIRE CHANGER D'AVIS ET ME CONVAINCRE DE T'INNOCENTER ?...
À ARMES ÉGALES, DE GRÉ OU DE FORCE, JE T'AURAIS FAIT CRACHER LES PREUVES QUE TU DÉTIENS, VIGO!
MALHEUREUSEMENT, J'ÉTAIS LOIN D'IMAGINER TA FULGURANTE PROMOTION À LA TÊTE DE CET ÉTAT.
FATALE ERREUR, YANKI!... DOMMAGE!... TON INFERNAL CULOT ME PLAIT ASSEZ!... MAIS TU EN SAIS BEAUCOUP TROP POUR QUE JE TE LAISSE VIVRE UN SEUL JOUR DE PLUS!...
POURQUOI EN VENIR À UNE TELLE EXTRÉMITÉ, VIGO??... AUX ÉTATS-UNIS MA TÊTE EST MISE À PRIX!... UN JOLI PAQUET!...
HA HA!... MERCI... JE SUIS DÉJÀ MILLIARDAIRE!... ET PRUDENT!... CE SERAIT UN RISQUE! MÊME SI J'ÉTAIS CERTAIN QUE LA CORDE T'ATTEND AU BOUT!...
TOI ET TES DEUX POLICHINELLES!... VOUS SEREZ FUSILLÉS DEMAIN À L'AUBE!...
GARDES!... RAMENEZ LE PRISONNIER DANS SON CACHOT!... ET ENVOYEZ-LUI LE "TAILLEUR"!
?!?!
PLUS TARD...
J'AI BIEN PEUR QU'ON SOIT AU BOUT DE LA PISTE, LES GARS... SINCÈREMENT NAVRÉ DE VOUS AVOIR ENTRAÎNÉS DANS CE MERDIER!...
MOI, JE NE REGRETTE RIEN, MIKE, C'EST PAS TA FAUTE!... LE COUP ÉTAIT POURRI AU DÉPART!...
NON!... LES COUPABLES, C'EST NOUS, FILS, ON S'EST LAISSÉ SAOULER ET MANOEUVRER COMME DES GAMINS PAR CETTE ROUILLURE DE LULU-BELLE!
JE JURE DEVANT DIEU QUE JE NE TOUCHERAI PLUS UNE GOUTTE D'ALCOOL DE MA VIE.
HA HA HA HA.
HA HA HA.
BEN QUOI!...
HA HA!... VOILÀ UN SERMENT QUE TU NE RISQUES PLUS D'ENFREINDRE À PARTIR DE DEMAIN, CHAP...
ATTENTION!...
BUENOS DÍAS, CABALLEROS!... JE VIENS POUR LES MESURES!...
AH!... C'EST VOUS LE TAILLEUR DONT VIGO A PARLÉ?! IL A L'INTENTION DE M'OFFRIR UN COMPLET NEUF?...
HI HI... SÍ SEÑOR!... UNE REDINGOTE... EN BOIS! JE SUIS LE CROQUE-MORT!...

(1) MUR DES EXÉCUTIONS.

LES MEX ONT RAISON! LE SCELLEMENT DES BARREAUX EST PAS TERRIBLE... MAIS... SANS OUTILS... RIEN À FAIRE.

PLUS TARD...
À PART UN MIRACLE... JE VOIS PAS CE QUI POURRAIT NOUS...
LA NUIT VIENT!... DORMONS COMME LES AUTRES. JE TIENS À MOURIR EN PLEINE FORME!

ET BIENTÔT...
SACRÉ MIKE!... IL EN ÉCRASE DÉJÀ!... QUEL SANG-FROID!...
YUP!... POUR MOI, PAS QUESTION DE FERMER L'OEIL!
LES GARDES M'ONT LAISSÉ MES CARTES... QUE DIS-TU D'UN DERNIER POKER?

ET TANDIS QU'INEXORABLEMENT S'ÉGRÈNENT LES HEURES...
MERDE!... À QUOI M'A MENÉ CETTE DAMNÉE VIE DE FOU?... À CREVER ABATTU COMME UN CHIEN DANS CE TROU POURRI... AVEC EN PLUS LA MORT DES COPAINS SUR LA CONSCIENCE!... TOUT ÇA POUR LAVER CE FOUTU HONNEUR DE SOLDAT.
PERDU! BRELAN D'AS!...
ET 10 000 DOLLARS DE MIEUX, POUR VOIR!

BON SANG, Y A QU'UNE IMAGE QUI PEUT M'EMPÊCHER DE CRAQUER DE TROUILLE... CELLE DE PEARL... C'EST ICI QUE JE L'AI CONNUE... À CHIHUAHUA...
PEARL! BON SANG!... SI J'EN RÉCHAPPE, JE TE JURE QUE...
11A

ET, TANDIS QU'APPROCHE L'AUBE...
JE CRAINS QUE VOUS NE VOUS SOYEZ DÉRANGÉ POUR RIEN, PADRE... JE DOUTE QUE CES DIABLES D'AMERICANOS SANS FOI FASSENT APPEL À VOTRE MINISTÈRE... BAH... VOUS ME DONNEREZ UN COUP DE MAIN.

CEPENDANT...
MILLE MILLIONS DE PUTOIS, C'EST PAS MON JOUR.

GOOD LORD!... JAMAIS J'AI EU UNE VEINE PAREILLE! TU ME DOIS 357 000 DOLLARS, JIMMY!...

J'AI PEUR QUE SI, JIMMY! L'AUBE POINT... ET... TIENS!... LES VOICI QUI VIENNENT NOUS CHERCHER.
J'AI PAS DIT MON DERNIER MOT, RED.

DEBOUT GRINGOS! C'EST L'HEURE! TOUT DOIT ÊTRE TERMINÉ AU LEVER DU JOUR!...
DAMN IT! POUR UNE FOIS QUE JE GAGNAIS AU JEU.
MILLE PUTOIS!
OK... ON Y VA.
GIR
11B

ADIOS, AMIGOS !.. VOUS SEREZ VENGÉS !.. TÔT OU TARD !..
MMH !.. PIÈTRE CONSOLATION !.. MAIS MERCI QUAND MÊME, DON IGNAZIO !..
OLA MENDEZ !.. LE PELOTON EST LÀ.. TU RANGERAS TES CERCUEILS PLUS TARD !.. HOP !.. DEHORS !.. ET VOUS AUSSI PADRE !
QUOI ?.. MAIS ON NE PEUT LAISSER CES MALHEUREUX SANS...
ORDRE DU GOUVERNEUR !.. NUL NE DOIT COMMUNIQUER AVEC LES CONDAMNÉS... MÊME PAS VOUS PADRE.. HOP !.. ANDALE !..
?!
ON S'EN VA, SERGENT !.. VENEZ PADRE.. LES ORDRES DU GOUVERNEUR SONT... HEU... IMPÉRATIFS !..
PLUS TARD..
TOUT EST PRÊT EXCELLENCE !.. LE PELOTON EST EN PLACE !..
J'ARRIVE !.. CARAÏ ! JE NE VEUX PAS MANQUER CE SPECT...
TOC TOC !
ENTREZ !
E... EXCELLENCE !.. LE GÉNÉRAL COMMANDANT LA GARNISON EST LÀ !.. C'EST URGENT, A-T-IL DIT !
URGENT ?.. JE L'ESPÈRE POUR LUI, CARAÏ !.. VENIR ME DÉRANGER À UNE HEURE PAREILLE !..
12A
AU MÊME INSTANT...
DAMN IT !... RIEN À TENTER ! ET POURTANT, LA RUE EST JUSTE DE L'AUTRE CÔTÉ DU MUR !.. MAIS IL EST TROP HAUT ET SOLIDEMENT GARDÉ !..
PAS DE BANDEAU, AMIGO !.. J'AIME BIEN VOIR LES BALLES ARRIVER !..
JIMMY !.. N'ESPÈRE PAS TE DÉFILER !.. TU ME DOIS 700 000 DOLLARS !..
HI HI HI !.. PLUTÔT MOURIR QUE D'OUBLIER MA DETTE, RED !..
PREMIER RANG !.. UN GENOUX À TERRE !..
UNE DERNIÈRE RASADE DE TEQUILA, GRINGOS ?..
C'EST PAS DE REFUS, MOI, J'AI FAIT AUCUNE PROMESSE...
EN TOUT CAS, JE FAIS LA PROMESSE SOLENNELLE QUE SI J'EN RÉCHAPPE, JAMAIS PLUS JE FERAI DE SERMENTS IDIOTS !.. MILLE PUTOIS !..
ET BIENTÔT...
PELOTON ! EN JOUE !...
12B

(1) LE GÉNÉRAL PORFIRIO DIAZ AVAIT ÉTÉ, DE 1862 À 1867, LE HÉROS DES COMBATS DU PEUPLE MEXICAIN CONTRE L'OCCUPANT FRANÇAIS, PUIS CONTRE L'EMPEREUR MAXIMILIEN. EN NOVEMBRE 1871... SEPT MOIS AVANT LES ÉVÈNEMENTS QUE CONTE LE PRÉSENT ÉPISODE, IL S'ÉTAIT RÉVOLTÉ CONTRE LE PRÉSIDENT JUAREZ QUI, POUR ASSURER SA RÉÉLECTION, CONTRAIRE À LA CONSTITUTION, AVAIT INSTAURÉ UNE FÉROCE DICTATURE.

(2) FORMULE TRADITIONNELLE DES GUERRIERS PEAUX-ROUGES AVANT UN COMBAT SANS ESPOIR

GIR 13B

PEU APRÈS, DANS UNE SALLE BASSE DU PALAIS...
HOURRA! VIVA LA LIBERTAD!
DIEU SOIT LOUÉ, CABALLEROS, VOUS ÊTES SAUFS!... CABALLEROS!... UN VRAI MIRACLE!... ET QUELLE REVANCHE!... CE SONT VIGO ET SES COMPLICES QUI OCCUPENT À PRÉSENT NOS CACHOTS... LEUR PROCÈS SERA VITE EXPÉDIÉ!... LA COUR MARTIALE SE RÉUNIT DÈS CET APRÈS-MIDI!... LEURS CRIMES SONT FLAGRANTS... ILS SERONT FUSILLÉS SOUS DEUX JOURS!...
BRAVO! VOILÀ DE LA JUSTICE QUI NE TRAÎNE PAS!...
BLAST IT!... IL FAUT QUE J'ARRACHE LES PREUVES DE MON INNOCENCE À CE SALOPARD AVANT QUE SES ANCIENNES VICTIMES NE LE RÉDUISENT EN CHARPIE!...
ARRIBA PORTILLO!
J'ESPÈRE, SEÑOR, QUE VOS AMIS ET VOUS ASSISTEREZ AVEC NOUS AU JUSTE CHÂTIMENT DE CE CHIEN SANGLANT DE VIGO... JE VOUS FERAI INVITER!... LE GÉNÉRAL PORTILLO EST UN AMI! UN AMI DE LONGUE DATE!...
TROP AIMABLE, DON IGNACIO!...
HI HI HI! AVEC JOIE!...
OUAIS, EN ATTENDANT, MOI, J'AIMERAIS DIRE DEUX MOTS À UNE CERTAINE LULU-BELLE ET À SES COPAINS DE LA CASA ROJA.
EX... HIC!... EXCELLENTE IDÉE, RED!... HI HI HI... ON VA LEUR FAIRE LA SURPRISE!...
...Z'ONT PAS FINI DE NOUS RÉGALER À L'OEIL, CEUX-LÀ!...
HÉ!... GRINGOS!
TOI, EL CABELLUDO (1) LE GÉNÉRAL PORTILLO VEUT TE VOIR!
?!!? MOI!?...
(1) LE CHEVELU
ET, QUELQUES INSTANTS PLUS TARD...
C'EST VOUS, L'AMERICANO?... J'AI À VOUS PARLER! HO!... VOSOTROS, QU'ON ME LAISSE SEUL AVEC CE CABALLERO!...
HMM!... À PEINE SOUS LES VERROUS, CE PUERCO DE VIGO A IMPLORÉ LA FAVEUR DE VOUS PARLER QUELQUES INSTANTS EN TÊTE À TÊTE!... CARAÏ!... QUAND JE PENSE QU'IL S'APPRÊTAIT À VOUS ENVOYER DANS L'AUTRE MONDE... HA HA HA!... ÇA C'EST LA MEILLEURE!...
SEÑOR GÉNÉRAL... JE NE VOIS PAS CE QU'IL ME...
IL PRÉTEND VOUS AVOIR FAIT GRAND TORT!... HA HA HA!... ET IL VEUT RÉPARER AVANT DE MOURIR... ON AURA TOUT VU!
!!!??
ÉTONNANT! JE CROYAIS CE RAT INCAPABLE DE TOUT SENTIMENT HUMAIN!... DÍGAME, SEÑOR AMERICANO, QUEL EST CE SECRET DONT IL TIENT TANT À SOULAGER SA CONSCIENCE?
OH... UNE TRÈS VIEILLE DETTE D'HONNEUR SEÑOR GÉNÉRAL!...

AH ! PARCE QUE LES YANKEES ONT DES DETTES D'HONNEUR MAINTENANT ?!... HA HA HA !... ON AURA TOUT VU !... HA HA HA !...
ENFIN... ADMETTONS.
BUENO !... VOUS VERREZ VIGO !... MAIS HEU... EN ÉCHANGE, J'ATTENDS DE VOUS UN PETIT SERVICE !
SÍ SEÑOR ?...
NOUS Y VOILÀ !...
À FORCE DE PILLAGES, DE CHANTAGES, D'EXTORSIONS, CETTE CANAILLE A AMASSÉ UNE FORTUNE FABULEUSE !... ET POURTANT, NOUS AVONS TROUVÉ LES COFFRES VIDES !
TIENS !?
TÂCHEZ DE SAVOIR OÙ EST CACHÉ CET OR !... NOUS EN AVONS DÉSESPÉRÉMENT BESOIN... MES TROUPES N'ONT PAS ÉTÉ PAYÉES DEPUIS DES MOIS.
JE VOIS !...
JE SAURAI ME MONTRER RECONNAISSANT. VOICI VOTRE SAUF-CONDUIT ! BIEN ENTENDU... HMM... MOTUS !... TOUT CECI RESTE STRICTEMENT ENTRE NOUS.
VOUS POUVEZ COMPTER SUR MOI, SEÑOR GÉNÉRAL ... VOUS AUREZ VOTRE RENSEIGNEMENT.
15A
ET QUELQUES INSTANTS PLUS TARD...
DAMN IT !... VA FALLOIR JOUER SERRÉ !... CE CHER PORTILLO N'A MANIFESTEMENT AUCUNE ENVIE DE PARTAGER LE MAGOT DE VIGO AVEC QUI QUE CE SOIT...
C'EST ICI ?
SÍ SEÑOR !... COGNEZ À LA PORTE POUR QU'ON VOUS ROUVRE ! JE REPASSE DANS DIX MINUTES !...
BLUEBERRY.
CARAMBA ! J'Y CROYAIS PLUS À CETTE DERNIÈRE RENCONTRE.
ÇA... FAUT RECONNAÎTRE, C'ÉTAIT IN EXTREMIS !... MAIS EN JOUANT SERRÉ TU AS PEUT-ÊTRE MÊME UNE CHANCE DE SAUVER TA PEAU !
HÉ HÉ... LAISSE-MOI DEVINER, GRINGO... EST-CE QUE CE NE SERAIT PAS, PAR HASARD, EN L'ÉCHANGEANT CONTRE MON OR !!...
D'APRÈS PORTILLO, C'EST QUELQUE CHOSE DANS CE GOÛT-LÀ ...
GIR
15B

TOUJOURS AUSSI NAÏF, GRINGO ?... COMBIEN DE TEMPS CROIS-TU QUE JE RESTERAI EN VIE, SITÔT APRÈS AVOIR TOUT ABANDONNÉ À CE CHACAL DE PORTILLO ?!... ET TOI, HEIN ?...
MOI ?...

OUI, TOI !... TU EN SAIS DÉJÀ TROP, AMIGO !... PORTILLO TE CLOUERA DÉFINITIVEMENT LE BEC, DÈS QUE TU M'AURAS CONVAINCU D'ACCEPTER CE MARCHÉ POURRI ... DE PLUS ...
OUI... CONTINUE ! ...

... DE PLUS, TROP DE GENS, ICI ET À MEXICO, ONT JURÉ MA MORT !... MÊME POUR TOUT L'OR DU MONDE, PORTILLO N'OSERAIT JAMAIS NI ME GRACIER NI ME LAISSER FUIR ! ...
ÇA ME PARAÎT ÉVIDENT !...

TU VOIS, VIGO... JE NE SUIS PAS AUSSI NAÏF QUE TU LE PENSES... J'ÉTAIS ARRIVÉ AUX MÊMES CONCLUSIONS QUE TOI... TU N'AS PLUS AUCUNE CHANCE... TU SERAS MORT DEMAIN !!! ET OUAIS...

PENDU POUR PENDU, FAIS AU MOINS UN BEAU GESTE, AVANT D'Y PASSER !... BLANCHIS-MOI !
QUOI ? HA HA HA !

HA HA HA... SACRÉ BLUEBERRY... J'AI UN BIEN MEILLEUR PLAN, AMIGO... ET TU N'AURAS QU'UN SEUL CHOIX : DIRE : OUI SEÑOR VIGO !
?! PARLE !...
GIR
16A

... ET COMMENT !... TU SAIS QUE JE POSSÈDE L'UNIQUE PREUVE FORMELLE ET IRRÉCUSABLE DE TON INNOCENCE DANS LE VOL DE L'OR DES CONFÉDÉRÉS (1) !!!

IL Y A SIX ANS, QUAND J'AI LIVRÉ, À JUAREZ, LES 500 000 DOLLARS-OR QUE J'AVAIS VOLÉS DANS LE CERCUEIL ENTERRÉ À TACOMA (1) PAR TREVOR, LE COLONEL SUDISTE...
(1) VOIR "CHIHUAHUA PEARL", "L'HOMME QUI VALAIT 500 000 DOLLARS" ET "BALLADE POUR UN CERCUEIL"

J'AI EXIGÉ UN REÇU OFFICIEL, RÉDIGÉ ET SIGNÉ DE LA MAIN MÊME DE JUAREZ, ET CONTRESIGNÉ PAR TROIS DE SES MINISTRES, AINSI QUE PAR LE CHEF D'ÉTAT-MAJOR DE L'ARMÉE DE RECONQUISTAD...

... IL EST AUTHENTIFIÉ PAR LE GRAND SCEAU DE L'ÉTAT MEXICAIN ET LES SCEAUX PERSONNELS DE CHACUN DES SIGNATAIRES, Y COMPRIS JUAREZ.

CE DOCUMENT DONT L'AUTHENTICITÉ EST AISÉMENT CONTRÔLABLE EST DANS UNE CACHETTE SÛRE ! ET COMME TU LE DEVINES, CONNUE DE MOI SEUL !
TANT QUE JUAREZ A VÉCU, CE PAPIER A ÉTÉ MA PLUS SÛRE SAUVEGARDE, ET LA CLÉ DE MA MODESTE ASCENSION !...
GIR
16B

RENDU PUBLIC, IL EÛT DISCRÉDITÉ À JAMAIS JUAREZ AUX YEUX DES AMÉRICAINS, ET CRÉÉ UNE SITUATION EXPLOSIVE ENTRE LES DEUX PAYS !...
BON ! ACCOUCHE MAINTENANT... QUE PROPOSES-TU ?...
JUAREZ MORT, CE PAPIER N'A PLUS D'IMPORTANCE QUE POUR TOI, AMIGO !! TIRE-MOI D'ICI, ET AIDE-MOI À RÉCUPÉRER LE MAGOT, ET IL EST À TOI !
!??!
TU ES CINGLÉ, VIGO !... C'EST... C'EST IMPOSSIBLE !
ALLEZ ! JE T'AI VU À L'OEUVRE !... TU ES LE SEUL À POUVOIR RÉUSSIR UN COUP PAREIL !...
ET SI J'ÉCHOUE ?...
ALORS TANT PIS POUR TOI... ET POUR MOI !...
JE CRÈVERAI PEUT-ÊTRE, MAIS J'AURAI AU MOINS LA SATISFACTION DE SAVOIR QUE TU NE SERAS PAS LONG À ME SUIVRE DANS LA TOMBE.
HAHAHA
GOOD LORD, COMMENT VEUX-TU QUE J'Y PARVIENNE, EN TRENTE HEURES, SEUL, SANS UN SOU, AVEC UNE ARMÉE ET UNE VILLE ENTIÈRE CONTRE MOI !!!
ÇA, C'EST TON PROBLÈME, YANKI !... HA HA HA ! JE T'AI VU RÉUSSIR DES COUPS PLUS DIFFICILES ENCORE !...
SALAUD !... QUELLE GARANTIE J'AI QUE TU TIENDRAS PAROLE ?
17A
UNE GARANTIE !?! HA HA HA !... ET QUOI ENCORE, YANKI !? IL FAUDRA TE CONTENTER DE MA HAINE POUR CE PAYS QUI ME RENIE ET DE MON DÉSIR D'ENFIN JOUIR EN PAIX, LOIN D'ICI, DE TOUT L'OR QUE J'AI PU Y RAFLER... EST-CE QUE TU M'AS BIEN COMPRIS, YANKI ?...
JE CROIS QUE J'AI SAISI, CHICANO !...
BARM BARM !
DÉSOLÉ, SEÑOR... IL FAUT REMONTER, AHORA !
HASTA LUEGO, YANKI !
THE HELL WITH YOU, VIGO.
ET QUELQUES MINUTES PLUS TARD...
ALORS, SEÑOR BLUEBERRY, CE TÊTE-À-TÊTE ? ...
NAVRÉ MY GENERAL !... CE RASCAL PUANT VOULAIT SEULEMENT S'OFFRIR LE PLAISIR DE ME NARGUER UNE DERNIÈRE FOIS.
IL PRÉFÈRE CREVER AVEC SON SECRET.
TU ME DÉÇOIS GRINGO !... JE TE CROYAIS PLUS HABILE !... PUES... NI MODO !... IL TE RESTERA LE PLAISIR DE VOIR FUSILLER CE HIJO DE PUERCO APRÈS-DEMAIN, À L'AUBE !
GIR
17B

PEU APRÈS...
HOLÀ, AMIGO! AS-TU VU LES DEUX GRINGOS QUI ÉTAIENT AVEC MOI?
ILS ONT PERDU PATIENCE, ALORS ILS ONT DIT QUE TU SAURAIS OÙ LES RETROUVER!...

ILS NE PEUVENT ÊTRE QU'À LA CASA ROJA!... DAMN...
QUELLE NOUVELLE CATASTROPHE SONT-ILS EN TRAIN DE ME PRÉPARER!...
TRENTE HEURES, PAS UNE DE PLUS, POUR BÂTIR UN PLAN...
HOLÀ?! TOUT LE MONDE FÊTE LA CHUTE DE VIGO!... MAC DOIT ÊTRE ENCORE DANS UN BEL ÉTAT.

!!! LES DEUX GRINGOS?... HEU... AU PREMIER, DANS LE GRAND SALON PRIVÉ.

HI! MIKE!...
FISTON!... IL MANQUAIT PLUS QUE HIC!... TOI!... ENTRE!... TU TOMBES À PIC! HI HI HI!!
MY GOD.
18A

CETTE CHÈRE LULU-BELLE ET SON PATRON ONT ABSOLUMENT TENU À NOUS OFFRIR CETTE PETITE FÊTE POUR NOUS FAIRE OUBLIER LEURS... LEURS TURPITUDES PASSÉES!
ET COMME... HIC! COMMENT VA L'AMI PORTILLO HIC!... MOI, JE L'ADORE, CE GARS-LÀ!
BIENVENUE BEAU GOSSE! UN... UN VERRE?
CIGARE?... C'EST LA MAISON QUI RÉGALE.

PAS MAL, BONNES GENS, MAIS ÇA VA QUAND MÊME PAS ÊTRE TOUT À FAIT SUFFISANT POUR ÉVITER LE PELOTON... VOUS SAVEZ COMME LES GENS SONT RANCUNIERS PAR ICI!...
HEIN?

C'EST VOUS QUI NOUS AVEZ TRAHIS ET LIVRÉS À CE BOUCHER DE VIGO... ET COMBIEN D'AUTRES AVANT NOUS!... HEIN?... UN MOT À MON AMI LE GÉNÉRAL PORTILLO ET VOUS FINISSEZ PAS PLUS TARD QUE CE SOIR DEVANT UNE DOUZAINE DE FUSILS!
?

PITIÉ... NOUS... NOUS ÉTIONS FORCÉS! VIGO TERRORISAIT TOUT LE MONDE ICI, MONSIEUR.
MILLE PUTOIS.
ON... ON DOIT POUVOIR S'ENTENDRE SEÑOR?... JE... HEU... JE SUIS PRÊT À VOUS VERSER UN... UN JUSTE DÉDOMMAGEMENT!
!!!?
HM... DISONS : TROIS CHEVAUX, DES ARMES ET MILLE DOLLARS!
18B

QUOI ?! MILLE DOLLARS ?!...
SÍ AMIGO !... POUR CHACUN DE NOUS, BIEN ENTENDU !!...
M... MAIS... C'EST UNE FORTUNE !
BAH !... UNE MISÈRE COMPARÉE À TOUS CEUX QUE VOS DÉNONCIATIONS ONT ENVOYÉS...
...AU POTEAU !... POUAH !... DÉGUEULASSE, CE CIGARE !...
ET CE CHAMPAGNE EST ÉVENTÉ !... MAC ! RED ! LA FÊTE EST FINIE !... ACCOMPAGNEZ CES GENTLEMEN JUSQU'AU COFFRE !... QU'ILS PAYENT CASH !
AVEC PLAISIR, FISTON !
VAMOS, MUCHACHAS... FINIE, LA RIGOLADE !...
HIC !... JE SAIS PAS CE QUE TU MIJOTES, MIKE !... MAIS ON FINIRA LA FÊTE PLUS TARD !...
?
HI HI... MILLE PUTOIS... EN AVANT VERS LA FORTUNE.
PAS TOI, SWEETY PIE !... JE MEURS D'ENVIE D'UN PETIT TÊTE-À-TÊTE AVEC TOI.
A... AVEC MOI ?...
SACRÉ MIKE !...
HI HI !...
GIR
19A
CEPENDANT...
...ET RÉUNIE SUR L'HEURE EN VERTU DES PROCÉDURES D'URGENCE PRÉVUES PAR LE CODE MILITAIRE...
EN CAS D'ÉTAT DE SIÈGE... LA COUR MARTIALE CONDAMNE LE GÉNÉRAL VIGO À ÊTRE PASSÉ PAR LES ARMES !
LA SENTENCE EST SANS APPEL !...
ELLE SERA EXÉCUTÉE APRÈS-DEMAIN À L'AUBE.
PAS LA PEINE DE TE FATIGUER, LULU-BELLE !... TU AS DÛ MAL ME COMPRENDRE, MAIS C'EST PAS POUR ÇA QU'ON EST LÀ !...
QU... QUOI !? TU NE VEUX PAS QUE...
GIR
19B

POURQUOI, COW-BOY ?... JE NE SUIS PEUT-ÊTRE PAS ASSEZ BONNE POUR TOI...
IL NE S'AGIT PAS DE ÇA !... TU ME PLAIS AU CONTRAIRE... UNE AUTRE FOIS PEUT-ÊTRE !

MAIS J'AI PLUS URGENT À FAIRE, ET C'EST AUTRE CHOSE QUE J'ATTENDS DE TOI !
LE GÉNÉRAL PORTILLO M'A CHARGÉ D'UN SALE BOULOT !... AVEC DES RISQUES PAS POSSIBLES...
QU'EST-CE QUE J'Y PEUX HONEY !... ENVOIE-LE BOULER CE PORTILLO !... PASSE LA FRONTIÈRE !... ET ADIEU !...

OUAIS... ÉVIDEMMENT... IL Y A TOUJOURS CETTE SOLUTION !... HM... MAIS... NON... JE DOIS TENTER LE COUP... ÉCOUTE... IL ME FAUT UNE DIZAINE DE GARS SOLIDES PRÊTS À N'IMPORTE QUOI POUR 200$ CHACUN... ET JE N'AI QUE QUELQUES HEURES POUR LES RECRUTER.
PAS BESOIN DE MOI POUR ÇA COW-BOY... CHIHUAHUA REGORGE DE DESPERADOS QUI TUERAIENT PÈRE ET MÈRE POUR MOINS QUE ÇA...

NON... JE VEUX DES HOMMES SÛRS... L'IDÉAL SERAIT UNE BANDE DÉJÀ ORGANISÉE... DES AMÉRICAINS DE PRÉFÉRENCE !... JE NE CONNAIS PERSONNE, ET JE N'AI PAS LE TEMPS DE TROUVER À QUI ME FIER !
ET TU VEUX QUE MOI, JE... PFFF... TU ES COMPLÈTEMENT FOU, COW-BOY !...
GIR 20A

ALLONS, LULU-BELLE ! NE JOUE PAS CE PETIT JEU AVEC MOI... TOUTES LES TÊTES BRÛLÉES DU PAYS FRÉQUENTENT LA CASA ROJA !... ET TOI... TU ES AUX PREMIÈRES LOGES !... OK ?...
ADMETTONS !... ET ADMETTONS QUE JE REFUSE !... OU QUE JE TE TRAHISSE !...

ATTENTION !... PORTILLO EST COMME VIGO... GÉNÉREUX OU SANS PITIÉ... COMMENT CROIS-TU QU'IL RÉAGIRAIT S'IL APPRENAIT QUE...
J'AI COMPRIS, COW-BOY !... JE... JE PLAISANTAIS.

BON... ALORS ADMETTONS QUE JE DÉCIDE DE SERVIR TON GÉNÉRAL PORTILLO...
D'ABORD, C'EST PAS MON GÉNÉRAL... OK !... DIS TOUJOURS.
JE NE VOIS QU'UNE PERSONNE QUI PUISSE VRAIMENT T'AIDER !
VAS-Y !... PARLE !... QUI EST-CE ?

LES GENS D'ICI LE SURNOMMENT "EL TIGRE"... D'AILLEURS PERSONNE NE CONNAÎT SON VRAI NOM !... MAIS CE N'EST PAS UN MEXICAIN, C'EST LA SEULE CERTITUDE !...
ET... OÙ EST-IL ?...
LÀ-HAUT DANS LA SIERRA QUI DOMINE LA VILLE !... AVEC SON GANG... DE VRAIS CORIACES... ET INTOUCHABLES !... VIGO LES PROTÉGEAIT !...
HEIN ?
GIR 20B

VIGO LES UTILISAIT POUR LES MISSIONS HEU... DÉLICATES... QU'IL RÉPUGNAIT À CONFIER À SES PROPRES SBIRES... EN FAIT, IL OPÉRAIT SURTOUT POUR SON PROPRE COMPTE... IL M'EST ARRIVÉ... HEU... DE LUI SERVIR DE... D'INFORMATRICE, EN QUELQUE SORTE...
FORCÉE ?... PAUVRE CHÉRIE !

COINCÉE ENTRE VIGO ET BANNISTER... QUE POUVAIS-JE FAIRE ?... RIEN... SINON OBÉIR...
SURTOUT QU'IL DEVAIT BIEN Y AVOIR DE PETITES COMPENSATIONS, PAS VRAI... OK... TU PEUX LE JOINDRE TON BANNISTER ?...

NOUS AVONS UN SYSTÈME DE CONTACT... J'AI ORDRE DE LUI SIGNALER LES ÉLEVEURS VENUS FÊTER LA VENTE D'UN TROUPEAU À LA CASA ROJA AVANT DE REGAGNER, COUSUS D'OR, LEUR LOINTAINE HACIENDA.
JOLI MÉTIER !

ENFIN !... DÉBROUILLE-TOI POUR ME FAIRE RENCONTRER TON TUEUR LE PLUS TÔT POSSIBLE !...
J'ESSAIERAI.

HEY !... TU TOMBES À PIC, MIKE ! ÇA Y EST... BON SANG !... NOUS SOMMES RICHES ! HI HI... COUSUS D'OR !...
ET MOI RUINÉ !... CES COYOTES ONT TOUT RAFLÉ !
ALORS !... TU T'ES PAYÉ DU BON TEMPS, FISTON ?... ARRIVE, ON VA ARROSER ÇA CHEZ NOTRE MÉCÈNE. ON LUI DOIT BIEN ÇA !...
GIR
21A

PAS QUESTION, MAC !... Y A DU BOULOT !... J'AI RÉQUISITIONNÉ UNE CHAMBRE LÀ-HAUT !...
ALORS C'EST LE BAGNE !... L'ENFER ! SANS MÊME UN COUP À BOIRE, MILLE PUTOIS !...

CEPENDANT À LA PRISON...
VIGO... C'EST LE TAILLEUR !... POUR LES MESURES.
HÉ HÉ !... UN BON COMMERÇANT NE FAIT PAS DE POLITIQUE, SEÑOR !... MAIS JE N'OUBLIE PAS QUE C'EST À VOUS QUE JE DOIS MA PROSPÉRITÉ !... EN CONSÉQUENCE, VOUS AUREZ UN CERCUEIL DE PREMIÈRE CLASSE !...
SANGRE Y MUERTE !... GARCIA !... TU ES TOUJOURS LÀ, TOI ?...

C'EST TOI, MANUELITO ?
SÍ SEÑOR ! TENGO UN MENSAJE DE LA SEÑORA DE LA CASA ROJA.
GIR.
21B

TAMALE !... DANS CE CAS, TU AS MA RECONNAISSANCE ÉTERNELLE !

DÍGAME !... LE CHANGEMENT DE RÉGIME N'A PAS L'AIR DE NUIRE À TES AFFAIRES !
AU CONTRAIRE, SEÑOR ! J'AI SIX AUTRES CERCUEILS À LIVRER EN MÊME TEMPS QUE LE VÔTRE !... ON CONDAMNE EN SÉRIE, LÀ-HAUT ! TOUS VOS COMPADRES ONT ÉTÉ ARRÊTÉS !

QUELQUES INSTANTS PLUS TARD ...
ATTENTION, MANUELITO !... "EL TIGRE" EST ENCORE BORRACHO !...(1) COMME TOUS LES SOIRS EN CE MOMENT ! LE MAL DU PAYS... LA MALADIE !... LA SOLITUDE !
(1) IVRE
MA PAROLE !... C'EST LE MESSAGER DE CETTE CHÈRE LULU ! ÇA FAIT LONGTEMPS QU'ELLE NE M'A PLUS FAIT SIGNE !... SE SOUVIENDRAIT-ELLE ENFIN DE MOI ?...
ET QUAND IL A BU.. IL...
HEY !
?!
PAW !
HA HA !!!... J'AI HORREUR DES MESSES BASSES, CABRONES(1) ! ET MÊME SAOUL, RIEN NE M'ÉCHAPPE ET JE TIRE TOUJOURS JUSTE ! AVIS À TOUS !...
VENTRE BLEU !... JE DEVIENS ENCOMBRANT, HEIN ? TROP DE SANG, TROP DE SALOPERIES ! HA HA !
TROP TARD COMPADRES !... NOS DESTINS SONT INDISSOLUBLEMENT LIÉS !
(1) BOUCS
22A
BAH... POURQUOI S'EN FAIRE, CHEF !... TANT QU'ON A LA PROTECTION DU GOUVERNEUR...
AÏ JEFE !... C'EST-À-DIRE QUE...
JEFE !... LE GÉNÉRAL VIGO A ÉTÉ DESTITUÉ ET ARRÊTÉ À L'AUBE !... ON VA LE FUSILLER !!...
QUOI !?
DAMNATION !...
NON !...
HA HA HA !... C'EST BIEN LA SEULE CHOSE QUE CE CHACAL N'AIT PAS VOLÉE ! MAIS... POUR NOUS LA RÉGION VA DEVENIR TRÈS MALSAINE !... ... TU TOMBES À PIC, MUCHACHO !!...
CEPENDANT, À LA CASA ROJA, DANS LA CHAMBRE JADIS HABITÉE PAR CHIHUAHUA PEARL ...
DÉMENT !... TON PLAN EST TOTALEMENT DÉMENT, FISTON ...
PAS UNE CHANCE DE RÉUSSIR ! OUAIS !...
OK !.. LAISSEZ TOMBER, LES GARS ! JE ME DÉBROUILLERAI AVEC "EL TIGRE" !...
MAIS DAMNÉE TÊTE DE MULE... TU VAS QUAND MÊME PAS TE FIER À DES TYPES RECRUTÉS PAR CETTE VIPÈRE DE LULU-BELLE ! C'EST QUAND MÊME ELLE QUI NOUS A TRAHIS LA PREMIÈRE FOIS !
LES CIRCONSTANCES ONT CHANGÉ, MAC !... LE COUP EST JOUABLE S'ILS SONT RÉPARTIS EN ÉQUIPES, CHACUNE CONTRÔLÉE PAR L'UN DE NOUS ! ET SI NOUS ASSUMONS LE PLUS DUR DU TRAVAIL !!!
GIR
22B

2000 DOLLARS AU TOTAL, HEIN ?... HMM... ÇA PUE LE COUP TORDU ! MAIS IL NOUS FAUT DU FRIC POUR FILER D'ICI !... BUENO... J'IRAI À CE RENDEZ-VOUS !!!
LA VILLE EST EN ÉTAT DE SIÈGE, TIGRE ! TOUS LES ACCÈS SONT GARDÉS ! JE T'ATTENDRAI VERS MINUIT POUR TE FAIRE PASSER LES LIGNES...
ENTRETEMPS...

MINUTE, CHICO ! RAPPELLE À CE JOLI CROTALE DE LULU QUE J'EN SAIS LONG SUR ELLE ! ET QUE J'AURAI PRIS MES PRÉCAUTIONS... ...QU'ELLE N'ESSAIE PAS DE ME DOUBLER !
LA SEÑORITA LE SAIT, JEFE ! MAIS JE... JE LUI RÉPÉTERAI ! ADIOS !

LA COUR DES EXÉCUTIONS EST JUSTE DERRIÈRE CE MUR ! ET LA CHAPELLE EST AU PIED DE CETTE TOUR ! C'EST TOI QUI OPÉRERAS ICI, RED !
OK, FILS... HM... LE REMPART EST DIABLEMENT HAUT ! ET IL Y A DEUX SENTINELLES EN PERMANENCE SUR LE CHEMIN DE RONDE...

PLUS LOIN...
LE PALAIS N'A QU'UNE SEULE ISSUE SUR CETTE RUE : CETTE PETITE POTERNE ! MAIS FAUDRA QUAND MÊME T'EN OCCUPER RED !
VU !...

CEPENDANT...
JE NE PUIS RIEN REFUSER À UNE JOLIE FEMME, SEÑORITA ! VOICI VOTRE LAISSEZ-PASSER ! HI HI HI ! EST-CE POUR UN AMOUREUX ?!...
CHUT... SOYEZ GALANT HOMME JUSQU'AU BOUT, CAPITAN ! JE NE L'OUBLIERAI PAS ! TENEZ... POUR VOUS PROUVER MA GRATITUDE !

MES HOMMES SERONT RAVIS, SEÑORITA !... MAIS... JE BRÛLE, MOI, DE...
J'Y COMPTE BIEN !

MADRE DE DIOS !.. CE LOCO DE FRANCÉS EST FRINGUÉ COMME POUR ALLER AU BAL !
NE DESCENDS PAS À CHIHUAHUA, TIGRE ! C'EST UN PIÈGE ! PORTILLO OFFRE SÛREMENT TRÈS CHER POUR TON SCALP !
LULU-BELLE N'OSERA JAMAIS ME TRAHIR, IMBÉCILE ! ELLE SIGNERAIT SON PROPRE ARRÊT DE MORT !

ET DIS-TOI QUE SI LES YANKIS PAIENT NOTRE AIDE UN TEL PRIX, C'EST QUE LE COUP LEUR RAPPORTERA DIX FOIS PLUS ! INTÉRESSANT, NON ?!...

ET BEAUCOUP PLUS TARD, CETTE NUIT-LÀ...
MILLE PUTOIS! NOUS N'AURONS PAS TROP DE LA JOURNÉE DE DEMAIN POUR RASSEMBLER TOUT CE QUE TU NOUS DEMANDES LÀ, FILS!...
PAYEZ CE QU'IL FAUDRA... MAIS SURTOUT AVEC DISCRÉTION, HUH?
MINUIT!... HELL!... IL EST TEMPS QUE J'AILLE SALUER CETTE CHÈRE LULU-BELLE!
CEPENDANT...
OUFF!... MERCI, LULU!... GRÂCE À VOUS JE PEUX ENFIN JOUER LE RÔLE DE ROMÉO!
JE CONNAIS PAS CE GARS-LÀ!... VITE!... ENTRE ET TIRE LES RIDEAUX!
TOUT S'EST BIEN PASSÉ?
VOTRE LAISSEZ-PASSER A TOUT SIMPLEMENT FAIT MERVEILLE, MON COEUR!
AH... TOUJOURS AUSSI TROUBLANTE LULU!...
ET TOI, TOUJOURS AUSSI FOU, OLD FRENCHY!...
TOC! TOC! TOC!
ALORS QUOI!?... PAS MÊME UN INSTANT D'INTIMITÉ?!
D'ABORD LES AFFAIRES, HONEY! QUI EST LÀ?
BLUEBERRY!...
DU CALME, QUERIDO! C'EST BIEN BLUEBERRY! TON CLIENT.
RENTREZ VOTRE ARTILLERIE, CAMARADE, JE NE SUIS PAS ARMÉ! "EL TIGRE", JE PRÉSUME?
ÉPARGNEZ-MOI CE SOBRIQUET GROTESQUE, MON CHER!... MARQUIS ALBERT DE LISTRAC EX-ORDONNANCE DU MARÉCHAL BAZAINE, ET PRÉSENTEMENT TUEUR À GAGES!
!?! FRANÇAIS?!
DÉSERTEUR PAR AMOUR DE L'OR ET DES TROP BEAUX YEUX D'UNE MEXICAINE!
BREF: FILS DÉVOYÉ DE FAMILLE COMME ON DIT CHEZ NOUS!
NOUS AVONS QUELQUES POINTS COMMUNS... HM!
ÇA M'ÉTONNERAIT, MON CHER!... MAIS TRÊVE DE MONDANITÉS! PARLONS AFFAIRES... PARLONS CHIFFRES!... DE QUOI S'AGIT-IL?...
EN 1862, NAPOLÉON III ENVOYA 30 000 HOMMES AU MEXIQUE POUR Y DÉFENDRE LES INTÉRÊTS FRANÇAIS! PLUS TARD, PLACÉ SOUS LES ORDRES DU MARÉCHAL BAZAINE, CE CORPS EXPÉDITIONNAIRE SOUTINT L'EMPEREUR MAXIMILIEN CONTRE LES MEXICAINS RÉVOLTÉS ET MENÉS PAR JUAREZ. SON RETRAIT, FIN 1867, PROVOQUA LE RAPIDE ÉCROULEMENT DE LA MONARCHIE ET L'EXÉCUTION DE MAXIMILIEN, QUE SERVAIT ENCORE UNE POIGNÉE DE FRANÇAIS, DE BELGES ET D'AUTRICHIENS.
GIR 24B

TIRER VIGO DE PRISON?
QUE JE SOIS PENDUE !! MAIS TON TRUC PUE L'EMBROUILLE À PLEIN NEZ !
PORTILLO A FAIT CONDAMNER VIGO À MORT. POURQUOI, À PRÉSENT, NOUS PAIERAIT-IL POUR LE FAIRE ÉVADER ?
NE ME FAITES PAS CROIRE QUE VOUS N'AVEZ PAS PIGÉ !

PORTILLO N'A PAS D'AUTRE MOYEN DE S'APPROPRIER PERSONNELLEMENT L'OR AMASSÉ EN SECRET PAR VIGO ! L'AUTRE LE LUI A OFFERT POUR SAUVER SA PEAU !

MAIS PAS FOU, IL NE LUI CRACHERA SON OR QU'UNE FOIS LIBRE ! ET PORTILLO EST COINCÉ PAR LES ORDRES DE DIAZ ET LA FOLIE DE VENGEANCE DES ANCIENNES VICTIMES DE VIGO !

NUL NE DOIT DONC POUVOIR LE SUSPECTER D'ÊTRE POUR QUELQUE CHOSE DANS SON ÉVASION...
ET C'EST LÀ QUE NOUS INTERVENONS, HEIN ?... HAHAHA !...

FASCINANT, HA HA HA ! ET TON PLAN ME PLAÎT, COMPADRE ! IL EST TELLEMENT INSENSÉ QU'IL PEUT RÉUSSIR ! TU PEUX COMPTER SUR MOI !
!!!
J'EN ÉTAIS SÛR !
25A

DEMAIN, AU COURS DE LA JOURNÉE, MES GARS S'INFILTRERONT EN VILLE, UN À UN, PAR DES POINTS DIFFÉRENTS, ET... AÏE !... IL Y A LE PROBLÈME DES ARMES !
PAS DE PROBLÈME ! J'AURAI DE QUOI LES ÉQUIPER !
IL Y A UNE GRANGE ABANDONNÉE JUSTE À CÔTÉ ! ILS POURRONT S'Y CACHER ! JE TE PROCURERAI LA CLÉ !
VOICI LA MOITIÉ DE LA SOMME CONVENUE, MARQUIS ! ET EN DOLLARS AMÉRICAINS !
DES... DES MOITIÉS DE BILLETS ! HEY !?
LES AUTRES MOITIÉS, SITÔT VIGO EN SÉCURITÉ !...
MÉFIANT, HEIN !... DÉCIDÉMENT TU ME PLAIS, L'AMI !... HAHAHA !...
SOIT ! HA HA HA !... MAIS POURQUOI NE PAS ENLEVER VIGO POUR NOTRE PROPRE COMPTE, MMH ?

TU AS BIEN DÛ Y PENSER, NON ?
NON ! D'ABORD, PORTILLO NOUS RETROUVERAIT, ET NOUS LE FERAIT PAYER CHER !

ENSUITE, CHEZ MOI, UN CONTRAT EST UN CONTRAT ! ... VU ?!... ET NI TOI NI TES HOMMES N'AVEZ INTÉRÊT À L'OUBLIER UNE SEULE SECONDE !...
!?
!?

... N'OUBLIE PAS DE LES AVERTIR...

BONSOIR !
VLAN
25B

EH BEN!
LE DIABLE ÉTOUFFE CE CUL-TERREUX YANKEE !!... ME DONNER DES LEÇONS!... !...!!... À MOI, UN L'ISTRAC !!... HA HA!... JE LUI APPRENDRAI CE QU'IL EN COÛTE D'OSER MENACER EL TIGRE !!... L'IMBÉCILE!
PLUS TARD! CALME-TOI, QUERIDO! PATIENCE! TU ES LE MAÎTRE DU JEU!
ILS NE SONT QUE TROIS... VOUS ÊTES DIX! ILS NE PÈSERONT PAS LOURD, QUAND VOUS TIENDREZ VIGO ET TU RAFLERAS TOUTE LA MISE!! TU M'ENTENDS ?...
L'ISTRAC... TU M'ÉCOUTES?... FRENCHIE DARLING!... !?
NOUS FUIRONS ENSEMBLE, ET... OH ?!... GOOD LORD!
!?!
QU'AS-TU ?
ARGH!!
TU... TU GRELOTTES!
...TU NE... VOIS PAS QUE JE SUIS MALADE À EN CREVER... UNE F... FIÈVRE MALIGNE!... MES... MES NERFS!... JE... JE NE LES CONTRÔLE PLUS!... ÇA... ÇA ME PREND SUBITEMENT!... DE... DE PLUS EN PLUS SOUVENT!...
C'EST POUR ÇA QU'IL ME FAUT CET OR!... JE NE VEUX PAS CREVER DANS CE SATANÉ MAUDIT BLED!!
ÇA Y EST! EL TIGRE MARCHE AVEC NOUS!... MAIS C'EST SÛR QU'IL VA TENTER DE NOUS DOUBLER ET DE SE GARDER VIGO POUR LUI TOUT SEUL! IL VEUT SON OR!
VA FALLOIR LE PRENDRE DE VITESSE, FILS! ET POUR ÇA, NE JAMAIS LE LÂCHER DE L'OEIL UNE SEULE SECONDE!
YUP!
!!!
EH!... MIKE!... ET SI LUI OU CETTE MOUCHARDE DE LULU ALLAIENT TOUT BALANCER À PORTILLO ?!...
AUCUN DANGER QU'ILS NOUS TRAHISSENT, RED!
LA PRENSA
NOTICIAS
D'ABORD, PARCE QU'ILS SONT BIEN RÉSOLUS À SOUFFLER L'OR DE VIGO! ET ENSUITE...
... PARCE QU'ILS SONT RÉELLEMENT PERSUADÉS QUE JE TRAVAILLE POUR PORTILLO!!
LE LENDEMAIN... ET TANDIS QUE SOUS DES DÉGUISEMENTS PAISIBLES, LES HOMMES D'EL TIGRE, UN À UN, SE GLISSENT EN VILLE...
RIEN QUE DES FAGOTS CAPITAN!
MOI, SEÑOR?... JE VIENS LIVRER DU BOIS À LA CASA ROJA! PERO QUE PASA?...
ÇA VA, CHICO!... TU PEUX PASSER!
VOUS AUSSI PADRE.
...!... DIEU VOUS BÉNISSE, MON FILS!

BLUEBERRY, RED NECK ET JIMMY MAC-CLURE ONT PASSÉ LA JOURNÉE EN PRÉPARATIFS FIÉVREUX...
LES CHEVAUX SONT DANS LA GRANGE, FILS! ACHETÉS TOUS À DES ENDROITS DIFFÉRENTS, POUR NE PAS ATTIRER L'ATTENTION SUR TOUTE CETTE CAVALERIE!...
LES ARMES Y SONT AUSSI! ET LES EXPLOSIFS! CACHÉS DANS LE CHARIOT DE FOIN! C'EST LUI QUI M'A DONNÉ LE PLUS DE MAL!
BIEN TRAVAILLÉ! ÇA COMMENCE À PRENDRE TOURNURE.
PLUS TARD...
ÇA Y EST!... J'AI REPÉRÉ L'ATELIER DE GARCIA! ET DON IGNACIO M'A À NOUVEAU PRIÉ D'ASSISTER À L'EXÉCUTION! MAIS SEUL! ELLE EST FIXÉE À 4 H 30!
ARRÊTE FISTON, ET GOÛTE CE POULET AUX PIMENTS!... IL VA TE FALLOIR DES FORCES!!...
UNE CHANCE POUR NOUS! SI TÔT LE MATIN, IL FAIT ENCORE SOMBRE ET LES RUES SONT DÉSERTES!... HEY!?... IL EST À LA DYNAMITE, VOTRE POULET? ...!... WOUAOO!!...
HI HI!... MILLE PUTOIS!... PRESQUE MINUIT!?... FAUT SE PRESSER!
OK, ON Y VA!... "EL TIGRE" ET SA BANDE DOIVENT NOUS ATTENDRE DANS LA GRANGE... RED... MAC!... ALLEZ-Y MOLLO AVEC LA TEQUILA!...
HEY!? LA JOURNÉE VA ÊTRE LONGUE!...
... ET DURE! ...
ET DIX MINUTES PLUS TARD...
DANS LE CHARIOT!... SOUS LE FOIN!...
BUENAS NOCHES, COMPADRE! TOUS MES GARÇONS SONT LÀ! JE LEUR AI EXPLIQUÉ VOTRE PLAN ET LEUR RÔLE À CHACUN. VOUS AVEZ DE QUOI LES ARMER?
QUATRE HOMMES OPÉRERONT AVEC RED NECK!... LES AUTRES ET TOI, MARQUIS, VOUS VENEZ AVEC JIMMY ET MOI!... PRÉPAREZ-VOUS! NOUS PARTONS LES PREMIERS! À PIED!
ET, VERS TROIS HEURES...
RED!... SOIS EN PLACE JUSTE À L'HEURE DITE!... MAIS ATTENDS LE SIGNAL POUR TE MONTRER!...
OUAIS!... À CAUSE DES GARDES SUR LE MUR!... COMPTE SUR MOI, FILS!
TROIS HEURES QUARANTE... CHEZ GARCIA, L'ENTREPRENEUR DES POMPES FUNÈBRES...
WOUAAH!... QUEL MÉTIER!... LEVER AUX AURORES À CHAQUE EXÉCUTION!... CARAï!... DÉJÀ L'HEURE D'ATTELER ET DE CHARGER LES SIX...
TOC TOC.
HOMBRE!... QUI ÇA PEUT ÊTRE À UNE HEURE PAREILLE?...
VOILÀ! J'ARRIVE!
TOC TOC TOC.

OUVRE, AMIGO!... ON VIENT POUR TE DONNER UN COUP DE MAIN!...
?!

ÉCOUTE BIEN, CHAROGNARD!... SI TU TIENS À TA PEAU, TU VAS FAIRE EXACTEMENT CE QU'ON TE DIT! AU MOINDRE SIGNE DE TRAHISON, TU ES MORT! VU?!
P... PITIÉ, SEÑOR GRINGO!... JE... J'OBÉIRAI... JE... LE JURE!...

QUATRE HEURES DU MATIN...
GARCIA Y SANTOS
FUNERARIA
ATAUDES DE LANCE
RAPPELLE-TOI, GARCIA!... TA VIE NE TIENT QU'À UN FIL!...
S... SI SEÑOR!...

ET MAINTENANT, TU FAIS COMME D'HABITUDE, CHACAL! TU PASSES PRENDRE LE PADRE QUI ASSISTE LES CONDAMNÉS À MORT!

DE SON CÔTÉ, BLUEBERRY A PRIS LE CHEMIN DU PALAIS.
GIR 28A

À L'HEURE QU'IL EST, VIGO DOIT SE FAIRE UN SANG D'ENCRE!... BAH!... C'EST BIEN SON TOUR!

LE PADRE EST AU RENDEZ-VOUS, SEÑOR... IL ATTEND DEVANT LA IGLESIA.
EH BIEN!... QU'EST-CE QUE TU ATTENDS, MILLE PUTOIS! FAIS-LE MONTER!
S... SI... SEÑOR

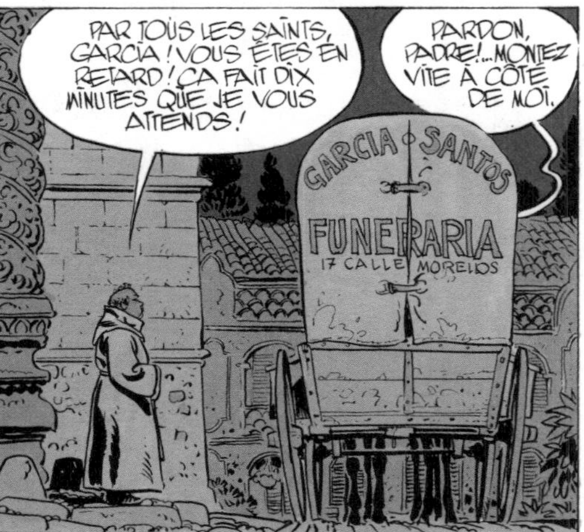
PAR TOUS LES SAINTS, GARCIA! VOUS ÊTES EN RETARD! ÇA FAIT DIX MINUTES QUE JE VOUS ATTENDS!
PARDON, PADRE!... MONTEZ VITE À CÔTÉ DE MOI.
GARCIA SANTOS
FUNERARIA
17 CALLE MORELOS

EN ROUTE, MON FILS!

ÇA NE VA PAS, MON FILS? MAL AU CRÂNE, HEIN?... ÇA M'ARRIVE AUSSI QUAND JE ME LÈVE TROP TÔT!...

!!!
PAR ICI, PADRE!
...FAUT RETOURNER AU DODO!...
!?
GIR 28B

ET TROIS MINUTES PLUS TARD...
QU'AVEZ-VOUS FAIT DU PADRE ?
MILLE PUTOIS, MAUDITE ROBE !... HEIN ?!... LE PADRE, IL EST AU FRAIS... SOLIDEMENT BÂILLONNÉ ET LIGOTÉ DANS UNE DE TES BOÎTES EN SAPIN !... ALLEZ !... ROULE !

V... VOICI LE PA... PA... LE PALAIS IL VA... VA F... FALLOIR FRANCHIR LE P... POSTE DE GARDE...
VAS-Y ET CESSE DE TREMBLER, IMBÉCILE ! TU VAS FINIR PAR NOUS FAIRE COINCER !

ÇA MARCHE, LE COMMERCE, HEIN GARCIA ?... ÁNDALE, TU PEUX PASSER !...
HEU... UNE LÉGÈRE INDISPOSITION, JEFE !... RIEN DE G... GRAVE !...
SALUT PADRE !
HOW HOW.
HEY !... IL A PAS L'AIR EN FORME CE MATIN, LE GARCIA !...
BUENO !... SIX PALETOTS EN BOIS... LE COMPTE Y EST ! HA HA HA !

OUF !!... MADRE DE DIOS !... J'AI B... BIEN CRU MOURIR DE PEUR !
MILLE PUTOIS, CALLATE LA BOCA(1) ET AVANCE !
(1) FERME-LA !

CEPENDANT, À LA POTERNE PRINCIPALE
VOUS REPRENDREZ VOTRE COLT EN SORTANT ! DÉSOLÉ POUR LA FOUILLE, SEÑOR !... MAIS C'EST LA CONSIGNE !
VOICI LA COUR DES EXÉCUTIONS... ET LA CHAPELLE OÙ J'ENTREPOSE LES CERCUEILS POUR LES CACHER À LA VUE DES CONDAMNÉS.
T'EN FAIS PAS, J'AI RECONNU L'ENDROIT... JE VAIS T'AIDER À LES DÉCHARGER !... VITE !... ON A À PEINE VINGT MINUTES !

OUWOU !... MON DOS... CES... CES CERCUEILS SONT TROP LOURDS P... POUR MOI ! ...
ATTENTION, ESTÚPIDO !!... TU VAS TOUT LÂCHER !

DEBOUT VIGO !... C'EST L'HEURE !
ON Y VA COMPADRE
DAMNATION !... CE CHIEN DE BLUEBERRY M'A LAISSÉ TOMBER ! JE SUIS PERDU !!

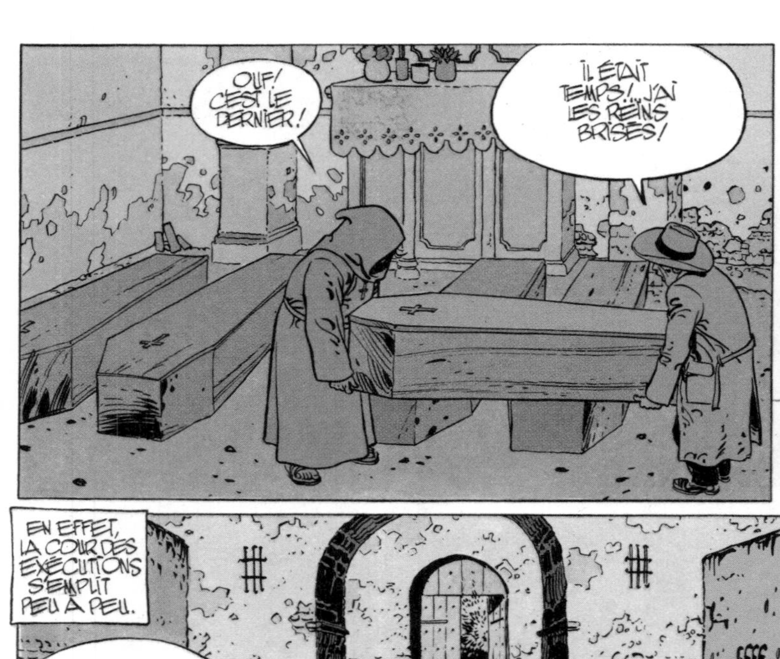
OUF! C'EST LE DERNIER!
IL ÉTAIT TEMPS!... J'AI LES REINS BRISÉS!

VOILÀ LE GÉNÉRAL PORTILLO ET SES INVITÉS QUI ARRIVENT POUR LE FUSILAMIENTO!

UN INSTANT PLUS TARD...
AH!... VOICI L'INVITÉ PRINCIPAL!... HA HA!
GIR 30A

EN EFFET, LA COUR DES EXÉCUTIONS S'EMPLIT PEU À PEU.
DÉSOLÉ POUR VOS AMIS, SEÑOR! MAIS LES PLACES ÉTAIENT LIMITÉES ET ON SE BATTAIT POUR VOIR FUSILLER VIGO!! ...
APRÈS LA CÉRÉMONIE, J'AIMERAIS VOUS INTERROGER SEÑOR! ... VIGO A REFUSÉ DE RÉVÉLER POURQUOI IL VOULAIT VOTRE MORT!
A LA DISPOSICIÓN DE USTED SEÑOR GENERAL.

AU MÊME INSTANT, DANS LA CHAPELLE...
GROUILLEZ-VOUS LES GARS!... ILS ATTACHENT DÉJÀ VIGO AU POTEAU! FAUT QUE J'AILLE EXERCER MON SAINT MINISTÈRE!... ET N'OUBLIEZ PAS MES BOTTES!!!
VAS-Y! ON S'OCCUPE DE L'AVORTON.
TU PARLES! ÇA!... ON RISQUE PAS!
MOI, ÇA COMMENÇAIT À ME FILER DES IDÉES NOIRES, D'ÊTRE COINCÉ LÀ-DEDANS.

ALLEZ!... PRESSONS!
PAS DE BANDEAU, SERGENT!... JE VEUX VOIR LE REGARD DE CES CHIENS QUI TREMBLAIENT DEVANT...
EH BIEN, SEÑOR BLUEBERRY!?... QUE PENSEZ-VOUS DE NOTRE ORGANISATION?...
EXCELLENTE GÉNÉRAL!... EXCELLENTE!

LÀ!... BLUEBERRY... CE SALAUD EST VENU ME NARGUER!... CARAÏ!!...
IL VA ME LE PAYER!...
GIR 30B

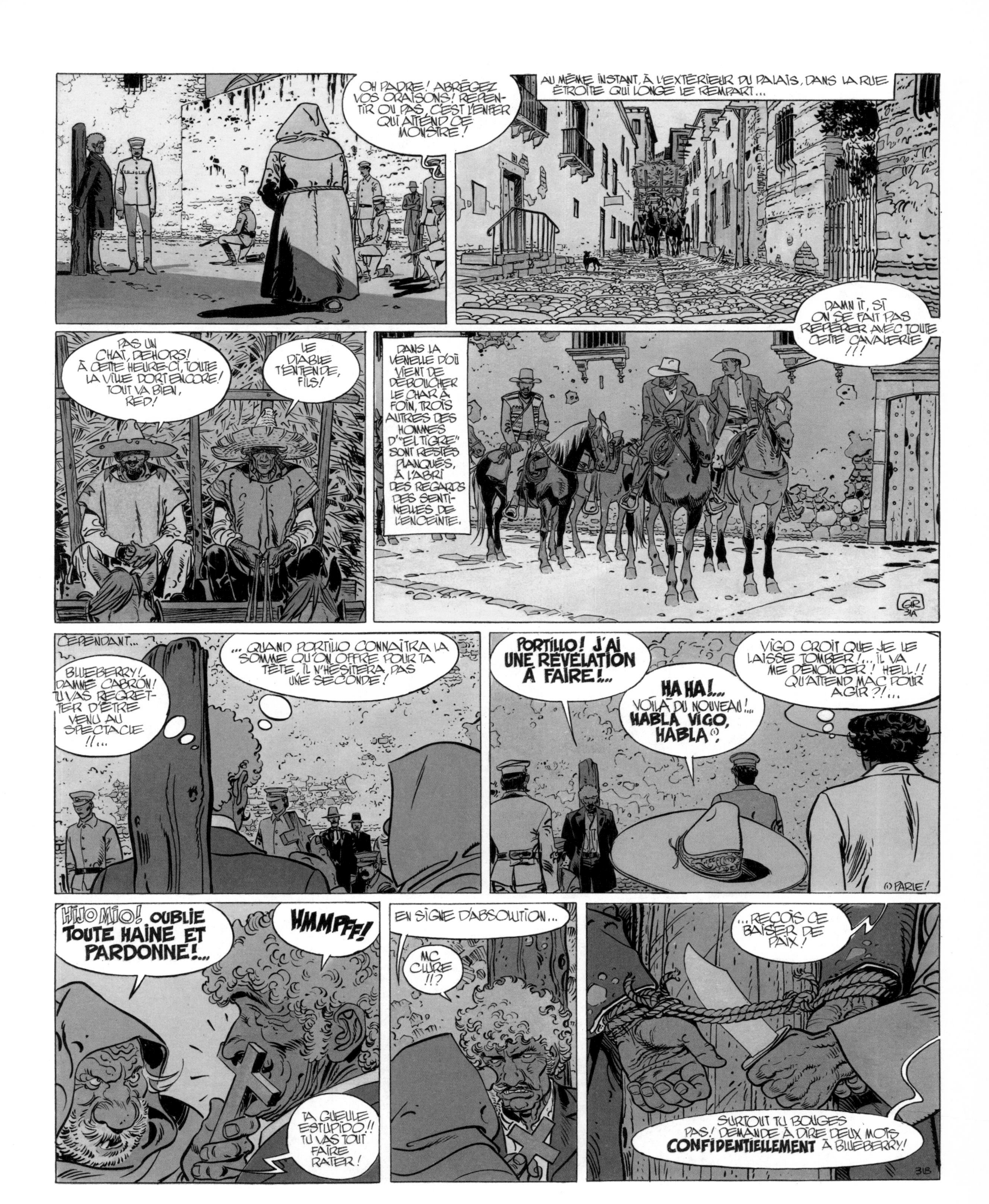
OH PADRE! ABRÉGEZ VOS ORAISONS! REPENTIR OU PAS, C'EST L'ENFER QUI ATTEND CE MONSTRE!
AU MÊME INSTANT, À L'EXTÉRIEUR DU PALAIS, DANS LA RUE ÉTROITE QUI LONGE LE REMPART...
DAMN IT, SI ON SE FAIT PAS REPÉRER AVEC TOUTE CETTE CAVALERIE!!!
PAS UN CHAT, DEHORS! À CETTE HEURE-CI, TOUTE LA VILLE DORT ENCORE! TOUT VA BIEN, RED!
LE DIABLE T'ENTENDE, FILS!
DANS LA VENELLE D'OÙ VIENT DE DÉBOUCHER LE CHAR À FOIN, TROIS AUTRES DES HOMMES D'"EL TIGRE" SONT RESTÉS PLANQUÉS, À L'ABRI DES REGARDS DES SENTINELLES DE L'ENCEINTE.
CEPENDANT...
BLUEBERRY! DAMNÉ CABRÓN! TU VAS REGRETTER D'ÊTRE VENU AU SPECTACLE!!...
... QUAND PORTILLO CONNAÎTRA LA SOMME QU'ON OFFRE POUR TA TÊTE, IL N'HÉSITERA PAS UNE SECONDE!
PORTILLO! J'AI UNE RÉVÉLATION À FAIRE!...
HA HA!... VOILÀ DU NOUVEAU!... HABLA VIGO, HABLA(1)!
VIGO CROIT QUE JE LE LAISSE TOMBER!... IL VA ME DÉNONCER! HELL!! QU'ATTEND MAC POUR AGIR?!...
(1) PARLE!
HIJO MIO! OUBLIE TOUTE HAINE ET PARDONNE!...
HMMPFF!
TA GUEULE ESTUPIDO!! TU VAS TOUT FAIRE RATER!
EN SIGNE D'ABSOLUTION...
MC CLURE!!?
... REÇOIS CE BAISER DE PAIX!
SURTOUT TU BOUGES PAS! DEMANDE À DIRE DEUX MOTS CONFIDENTIELLEMENT À BLUEBERRY!

EH BIEN, VIGO !... ET CETTE RÉVÉLATION ?... NOUS AVONS CINQ DE TES COMPLICES À FUSILLER APRÈS TOI !... HOMBRE !...
JUSTE QUELQUES MOTS, EN PARTICULIER À L'AMERICANO POUR SOULAGER MA CONSCIENCE !
EXCELLENCE !... M'AUTORISEZ-VOUS À...
SEGURO, HOMBRE !... MAIS ENSEMBLE !... IL EST DU DEVOIR DU GÉNÉRAL PORTILLO DE SAVOIR !... DE TOUT SAVOIR !... HA HA !!
TOUT À FAIT NORMAL !... À VOS ORDRES, GÉNÉRAL.
OUF... IL A RÉAGI COMME NOUS L'AVIONS PRÉVU !... LE PLATEAU DES CHANCES A L'AIR DE VOULOIR PENCHER DU BON CÔTÉ !...
VIGO ! TU NE PARLERAS AU SEÑOR BLUEBERRY QU'EN MA PRÉSENCE ! ... TU AS UNE MINUTE !!!
QUOI !?
CE QUE J'AI À LUI DIRE NE TE REGARDE PAS HIJO DE PERRO !!!
LA PAIX SOIT AVEC VOUS, MON FILS !
32A
TU ME DÉÇOIS, VIGO !... TU N'ES QU'UN COUARD QUI CHERCHE À GAGNER DU TEMPS !! VA AU DIABLE !
PUIS-JE VOUS GLISSER UN MOT À L'OREILLE, EXCELLENCE ?
JE VOUS ÉCOUTE, MAIS... HÉ !!...
?!
MAC ! PRENDS-LUI SON ARME, ET LANCE LE SIGNAL !... PAS UN GESTE, GÉNÉRAL !
AÏE MON BRAS !
DIOS MIO !
PERSONNE NE BOUGE ! SINON J'ABATS LE GÉNÉRAL !!... SOLDADOS !... LÂCHEZ VOS ARMES !...
!!! ...
!?!
♫ !!
CARAÏ !... PASSEZ-MOI UN FLINGUE !...
SHUT UP VIGO, TU LA FERMES ET TU SUIS LE MOUVEMENT, OK ?!...
FAITES CE QU'IL DIT !!
JE L'AI DANS MA LIGNE DE MIRE, SERGENTE ! QU'EST-CE QUE JE...
DISPARA !... DISPARA (1) !... !!!
GIR
32B
(1) TIRE !

MAIS, À LA SECONDE MÊME OÙ LA SENTINELLE VA TIRER...
CARAJO!
AIII
BLAMM

EL "TIGRE" VIENT D'INTERVENIR!... AU SIGNAL DE MAC CLURE, LUI ET SES HOMMES ONT SURGI DE LA CHAPELLE, MENAÇANT À REVERS LES OCCUPANTS DE LA COUR...
À PLAT VENTRE!... TODOS!

CONFIRME... VITE!... SINON C'EST LE MASSACRE!
POR DIOS OBÉISSEZ! COUCHEZ-VOUS!...

VOUS NE POUVEZ PAS VOUS EN SORTIR... ESPÈCE DE...
AVANCE ET TAIS-TOI, HOMBRE!
PAS VERS LA CHAPELLE!... C'EST UN CUL-DE-SAC!!...
MAIS QU'EST-CE QU'ILS ONT TOUS À BAVARDER COMME ÇA?...

TOUT VA BIEN MARQUIS?...
C'EST PARFAIT, AMIGOS!... CONTINUEZ TRANQUILLEMENT VOTRE PETITE SIESTE.

TOUT VA BIEN, "MONSIEUR"!... BARNES ET KOVACS SONT MONTÉS POUR NOUS COUVRIR À PARTIR DU CHEMIN DE RONDE! VOUS POUVEZ LES Y REJOINDRE!

EN EFFET, AU MÊME INSTANT...
!?!
!!?

...MAIS LE SOLDAT NE PEUT RIEN CONTRE LES DEUX TUEURS.
OUCH!
PAW
PAW
PAW

TANDIS QU'EL TIGRE COUVRE LEUR RETRAITE, BLUEBERRY, MAC CLURE ET LES DEUX PRISONNIERS ONT ATTEINT L'ESCALIER DE LA TOUR, RELIANT LA CHAPELLE AU CHEMIN DE RONDE...
HUH!... ÇA CHAUFFE, LÀ-HAUT!
VITE!

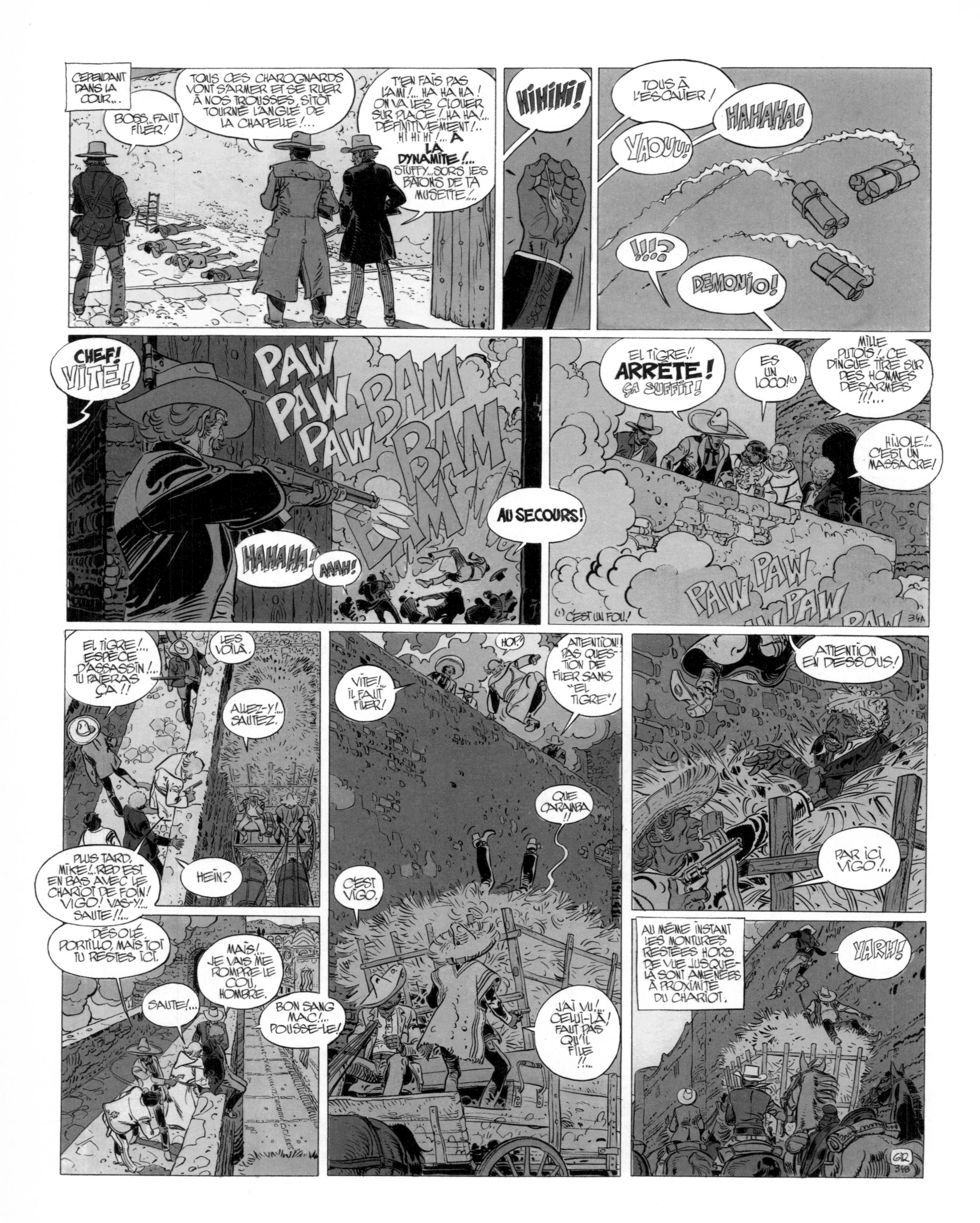
CEPENDANT DANS LA COUR...
BOSS.. FAUT FILER!
TOUS CES CHAROGNARDS VONT S'ARMER ET SE RUER À NOS TROUSSES, SITÔT TOURNÉ L'ANGLE DE LA CHAPELLE!...
T'EN FAIS PAS L'AMI!... HA HA HA! ON VA LES CLOUER SUR PLACE!... HA HA!... DÉFINITIVEMENT!... HI HI HI!... À LA DYNAMITE!... STUFFY... SORS LES BÂTONS DE TA MUSETTE!...
HIHIHI!
SSCRITCH!
TOUS À L'ESCALIER!
HAHAHA!
YAOUU!
!!!?
DEMONIO!
CHEF! VITE!
PAW PAW PAW
BAM BAM BAM
HAHAHA!
AAAH!
AU SECOURS!
EL TIGRE!! ARRÊTE! ÇA SUFFIT!
ES UN LOCO!(1)
MILLE PUTOIS!... CE DINGUE TIRE SUR DES HOMMES DÉSARMÉS!!!...
HIJOLE!... C'EST UN MASSACRE!
PAW PAW PAW PAW
(1) C'EST UN FOU!
EL TIGRE!... ESPÈCE D'ASSASSIN!... TU PAIERAS ÇA!!
LES VOILÀ.
ALLEZ-Y!... SAUTEZ.
PLUS TARD, MIKE!... RED EST EN BAS AVEC LE CHARIOT DE FOIN! VIGO! VAS-Y!... SAUTE!!...
HEIN?
DÉSOLÉ, PORTILLO, MAIS TOI TU RESTES ICI.
MAIS!... JE VAIS ME ROMPRE LE COU, HOMBRE.
SAUTE!...
BON SANG MAC!... POUSSE-LE!
HOP!?
VITE!... IL FAUT FILER!
ATTENTION! PAS QUESTION DE FILER SANS "EL TIGRE"!
QUE CARAMBA!!
C'EST VIGO.
J'AI VU!... CELUI-LÀ! FAUT PAS QU'IL FILE!!...
ATTENTION EN DESSOUS!
PAR ICI VIGO!...
AU MÊME INSTANT LES MONTURES RESTÉES HORS DE VUE JUSQUE-LÀ SONT AMENÉES À PROXIMITÉ DU CHARIOT.
YARH!
GIR

ÇA VA, TIGRE ??...
TOUT VA BIEN, MON AMI !
ET UNE MINUTE PLUS TARD...
GRIMPEZ !... JE COUPE LA ROUTE À NOS POURSUIVANTS !
TIGRE !... TU N'ES QU'UN CHACAL ! ...UN...
SHUT UP ! CHACUN SON BOULOT.
LES QUELQUES SOLDATS DU PELOTON ENCORE INDEMNES ET QUI S'ÉTAIENT PRÉCIPITÉS À LA POURSUITE DES ASSAILLANTS SONT CUEILLIS PAR LA DERNIÈRE CHARGE POSÉE PAR "EL TIGRE"...
DIOS MIO !...
BLAW
CEPENDANT, À MESURE QU'ILS ATTERRISSENT DANS LE FOIN, LES FUGITIFS ENFOURCHENT LES MONTURES QUI LES ATTENDENT, SE GROUPENT EN TÊTE DE L'ATTELAGE !... LES DERNIERS À SAUTER SONT BLUEBERRY ET "EL TIGRE"... DEPUIS SON DÉCLENCHEMENT, LEUR ACTION A DURÉ MOINS DE CINQ MINUTES !...
QU'EST-CE QU'ON ATTEND ??
RED !... TU PEUX FOUETTER TES BÊTES !...
YAR ! YAR !!...
MAC !... TU QUITTES PAS VIGO DE L'OEIL !...
PAS DE DANGER AMIGO !...
35A
À L'INTÉRIEUR DU PALAIS, LES MEXICAINS, UN MOMENT FOUDROYÉS, PARALYSÉS PAR LA STUPEUR ET LA BRUTALITÉ FULGURANTE DE L'ACTION, RÉAGISSENT ENFIN...
VIGO S'EST ÉCHAPPÉ !... FONCEZ À LA POTERNE NORD !... L'ENNEMI FUIT PAR LA RUE DE DERRIÈRE !!!
AUX ARMES !... LES FANTASSINS SUR LE MUR NORD !... VITE !... TOUS LES CAVALIERS DISPONIBLES EN SELLE !!
BRAVO L'AMÉRICAIN !... TU VOIS... J'AVAIS RAISON !... TU N'AS PAS PERDU LA MAIN !
TOI NON PLUS LE MEX, HEIN !? TOUJOURS AUSSI FAUX-JETON !...
C'EST UN GALOP GÉNÉRAL VERS LA POTERNE QUI CLOT LA RUELLE, TANDIS QU'AUX REMPARTS APPARAISSENT LES PREMIERS SOLDATS.
FUEGO !
FEU SUR LES REMPARTS !
ESTAN AQUI !...
PAW
PAW
PAW
PAW
GARE À LA MANOEUVRE, RED !... IL FAUT BLOQUER LA POTERNE AVEC LE CHARIOT !... JE M'OCCUPE DES CHARGES DES ROUES !
ET DIX SECONDES PLUS TARD...
RED !... BALANCE LA TORCHE ! MAC !... COUPE LES TRAITS DE L'ATTELAGE !... VITE !!...
GIR
35B

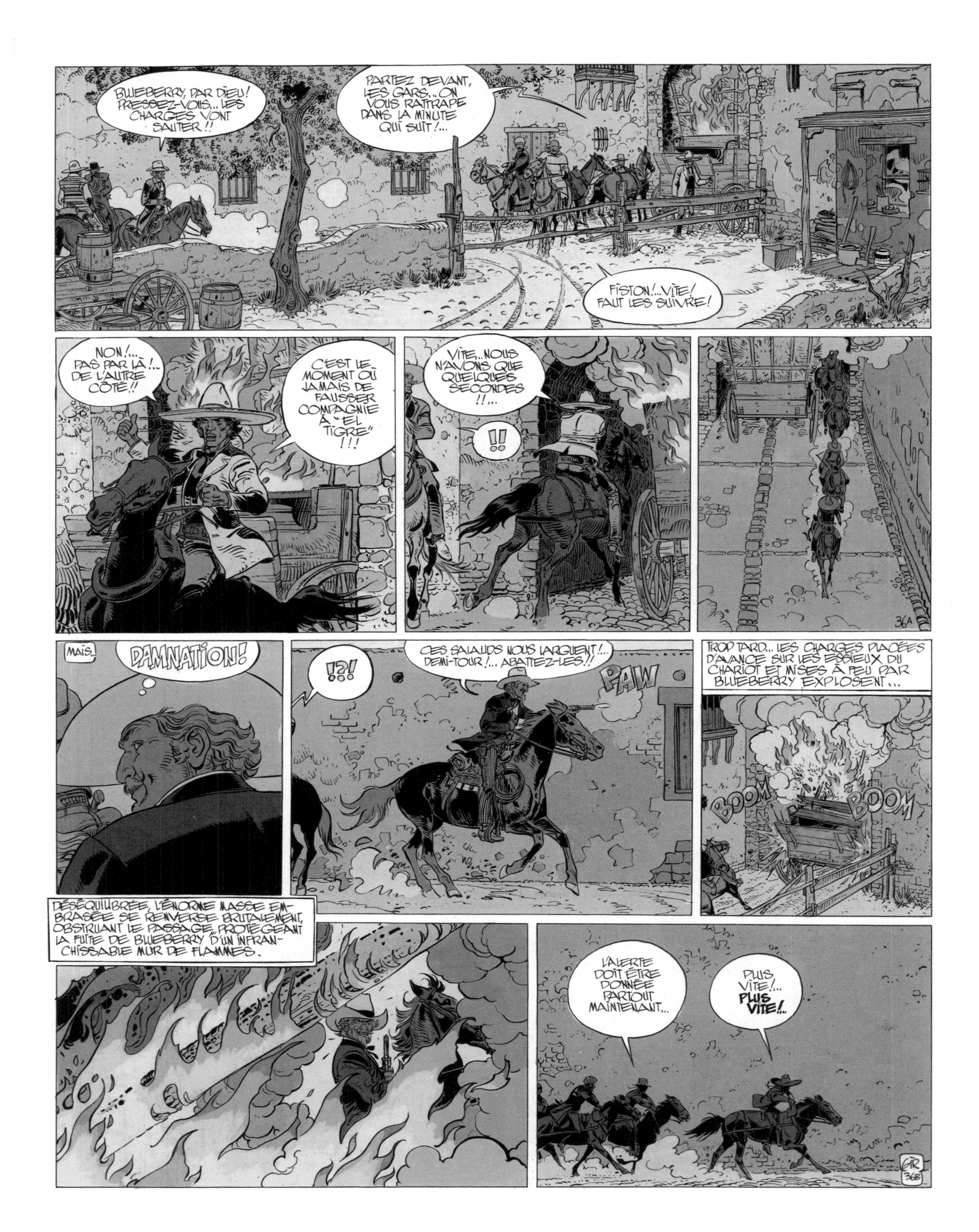
BLUEBERRY, PAR DIEU! PRESSEZ-VOUS... LES CHARGES VONT SAUTER !!
PARTEZ DEVANT, LES GARS... ON VOUS RATTRAPE DANS LA MINUTE QUI SUIT !...
FISTON !... VITE! FAUT LES SUIVRE!
NON !... PAS PAR LÀ !... DE L'AUTRE CÔTÉ!!
C'EST LE MOMENT OÙ JAMAIS DE FAUSSER COMPAGNIE À "EL TIGRE" !!!
VITE... NOUS N'AVONS QUE QUELQUES SECONDES !!...
!!
36A
MAIS...
DAMNATION!
!?!
CES SALAUDS NOUS LARGUENT !... DEMI-TOUR !... ABATTEZ-LES !!
PAW
TROP TARD... LES CHARGES PLACÉES D'AVANCE SUR LES ESSIEUX DU CHARIOT ET MISES À FEU PAR BLUEBERRY EXPLOSENT...
BOOM
BOOM
DÉSÉQUILIBRÉE, L'ÉNORME MASSE EMBRASÉE SE RENVERSE BRUTALEMENT, OBSTRUANT LE PASSAGE, PROTÉGEANT LA FUITE DE BLUEBERRY D'UN INFRANCHISSABLE MUR DE FLAMMES.
L'ALERTE DOIT ÊTRE DONNÉE PARTOUT MAINTENANT...
PLUS VITE !... PLUS VITE !...
GIR
36B

AU MÊME INSTANT... DE L'AUTRE CÔTÉ DE LA FOURNAISE...
INUTILE D'ESSAYER LA TRAVERSÉE DE CET ENFER! PASSONS PAR UNE AUTRE RUELLE!...
JEFE! LÀ-HAUT! CUIDADO!

LA GARNISON VIENT EN EFFET DE FAIRE IRRUPTION AUX REMPARTS.
PAW PAW
TROP TARD!... IL FAUT FILER DE CE PIÈGE OU C'EST LE MASSACRE!

BILLY A PRIS UNE BALLE DANS LA CUISSE!...
PAR DIEU, LE YANKEE, ON SE RETROUVERA PLUS TARD!

CEPENDANT À L'UNE DES SORTIES DE LA VILLE...
SERGENTE!... TOUTES CES EXPLOSIONS ET CES COUPS DE FEU!... JE ME DEMANDE...
MIRA!... VOILÀ QUELQU'UN QUI VIENT DU CENTRE!... IL VA POUVOIR NOUS RENSEIGNER!!!

HOLA PADRE! QUÉ PASA? C'EST LA RÉVOLUTION OU QUOI?!...
HM!

DÉSOLÉ MON FILS, JE NE SUIS QU'UN PAUVRE MOINE!... JE N'AI RIEN VU!
TU N'AS RIEN VU... AÏE!
HÉ!... LE PAUVRE PADRE, IL A DES VRAIES BOTTES DE CHARRO, HIJOLE!!...

OK, AMIGOS... LES MAINS EN L'AIR!... TOUS CONTRE LE MUR!
!?!

DU BEAU TRAVAIL, EN DOUCEUR!
BRAVO, PÈRE MAC CLURE! DÉSARME-LES ET EN SELLE!
IL Y A UN PUITS DERRIÈRE! RED, FILE-MOI UN COUP DE MAIN, ON VA BALANCER LEURS FUSILS DEDANS!...

ET BIENTÔT...
SACRÉ YANKI!... TU M'AS QUAND MÊME SORTI DES GRIFFES DE TOUS CES ENRAGÉS!
QUE... HO!... CET HOMME!... POR LA VIRGEN! JE LE RECONNAIS.
PAS ENCORE! ILS VONT SE LANCER À NOS TROUSSES.
SANS COMPTER "EL TIGRE"!
HI HI!... S'IL ARRIVE À SORTIR DE CHIHUAHUA!

DIOS MIO!...
C'EST LUI... VIGO! LE GOUVERNEUR... CE HIJO DE PUERCO! J'AI JURÉ DE LE SAIGNER À MORT!...

EN ROUTE MAINTENANT!
ET VITE! SI NOUS VOULONS BROUILLER NOTRE PISTE DANS LA MONTAGNE ET...

JE... OH!

DAMNED!... VIGO VIENT DE RECEVOIR UN COUTEAU DANS L'ÉPAULE !!...
IL FAUT ME RETIRER ÇA!... BLUEBERRY... AÏE! MADRE MIA!...
VAUT MIEUX FILER ... MIKE!... LES AUTRES VONT FINIR PAR NOUS TOMBER DESSUS !...
J'AI PAS VU D'OÙ ÇA VENAIT ...

ASESINO! PUERCO! AFFAMEUR DU PEUPLE!... TU N'IRAS PAS LOIN!...

ALERTE!... VITE, VA PRÉVENIR LA GARNISON!
AH!... J'AI COMPRIS, VIGO!... C'EST UN DE TES ADMIRATEURS QUI T'A FAIT CE CADEAU D'ADIEU! ... HI HI HI !!...
38A

CEPENDANT
CARAÏ!... LES CAVALIERS DE PORTILLO SONT SUR NOS TALONS!
AU PAS! AU PAS!... NOM DE DIEU!... AYEZ L'AIR D'AGNEAUX INOFFENSIFS!...
HALTE CABALLEROS !!

VOS LAISSEZ-PASSER, SEÑOR!

LES VOILÀ!
PAW
EN AVANT!

AUX ARMES
TIREZ DANS LE TAS!
PAW
DAW DAW
PAW PAW
CARAÏ!...
!?
38B

PLUS TARD, À UNE QUINZAINE DE MILES AU NORD-EST DE CHIHUAHUA...
J'AI FAIT CE QUE J'AI PU, VIGO... MAIS TU AS PERDU PAS MAL DE SANG...
...ET CESSE DE T'ÉNERVER! ON NE NOUS POURSUIT PAS!...
... LE TÉLÉGRAPHE A DÉJÀ DÛ ALERTER TOUTES LES GARNISONS JUSQU'À LA FRONTIÈRE!... IL FAUT REPARTIR!
MILLE PUTOIS CE SERAIT UNE FOLIE!...
IL Y A CINQ JOURS DE CHEVAL D'ICI À PRESIDIO! TU NE TIENDRAS PAS JUSQUE LÀ!...
SOUHAITE QUE SI, YANKI!... C'EST TA SEULE CHANCE DE RÉCUPÉRER LA PREUVE DE TON INNOCENCE!...
EST-CE POUR ÇA QUE TU NOUS AS FAIT PRENDRE CETTE ROUTE IMPOSSIBLE?...
JE N'OUBLIE JAMAIS UNE PROMESSE!
EMPRUNTANT LES CHEMINS LES PLUS DÉTOURNÉS, LES FUGITIFS FUIENT TOUT LE JOUR VERS LE NORD-EST...
JE SAVAIS QUE J'AURAIS UN JOUR À FUIR PRÉCIPITAMMENT...
...ALORS J'AI PRÉVU L'ESSENTIEL SUR LA PISTE LA PLUS COURTE VERS LES ÉTATS-UNIS...
CEPENDANT
OUF!... JE CROIS QUE NOUS LES AVONS SEMÉS!... LES BLESSÉS QUE NOUS AVONS LAISSÉS PRÈS DE ALDAMA LEUR ONT FAIT PERDRE NOTRE PISTE.
ENFIN!... NOUS ALLONS POUVOIR RÉGLER NOS COMPTES AVEC BLUEBERRY!!!
PLUS TARD.
ILS N'ONT QUE QUELQUES HEURES D'AVANCE...
...IL FAUT QUE NOUS LES RATTRAPIONS AVANT LES FÉDÉRAUX!
NOUS NE SOMMES PLUS QUE QUATRE ET TU GRELOTTES DE FIÈVRE! TU ES MALADE, TIGRE!!!
39A

HIJO DE PUERCO RÉPÈTE ÇA UNE SEULE FOIS!...
...ET JE TE RÉDUIS LE CRÂNE EN BOUILLIE!
À FORCE D'ALCOOL LE FRANÇAIS A MATÉ SON TREMBLEMENT CONVULSIF.
LA SEULE CHANCE DE SALUT DE VIGO EST DE FRANCHIR LA FRONTIÈRE AU PLUS VITE!...
IL N'A EU LE CHOIX QU'ENTRE DEUX PISTES, CELLE DU NORD VERS EL PASO ET CELLE DU NORD-EST VERS PRESIDIO!...
EL PASO
U.S.A.
FRONTIÈRE
PRESIDIO
CHIHUAHUA
MEXIQUE
IL A SÛREMENT PRIS LA SECONDE, L'AUTRE EST MOITIÉ PLUS LONGUE ET SURTOUT TROP FRÉQUENTÉE! IL S'Y FERAIT IMMANQUABLEMENT REPÉRER!!!
EN SELLE! INUTILE D'ATTENDRE!...
TU AS RAISON "TIGRE" FAUT PROFITER DE LA NUIT POUR QUITTER LES ABORDS DE CHIHUAHUA ET LES PATROUILLES DE PORTILLO!...
OK. ON Y VA!...
HEU, T'AS PAS PEUR QUE CES GARS-LÀ PRENNENT LES CHEMINS DE TRAVERSE!...
TANT MIEUX!... ÇA LES RETARDERA D'AUTANT!... MAIS ILS NE PEUVENT ÉVITER DEUX POINTS DE PASSAGE OBLIGÉS!...
GIR
39B

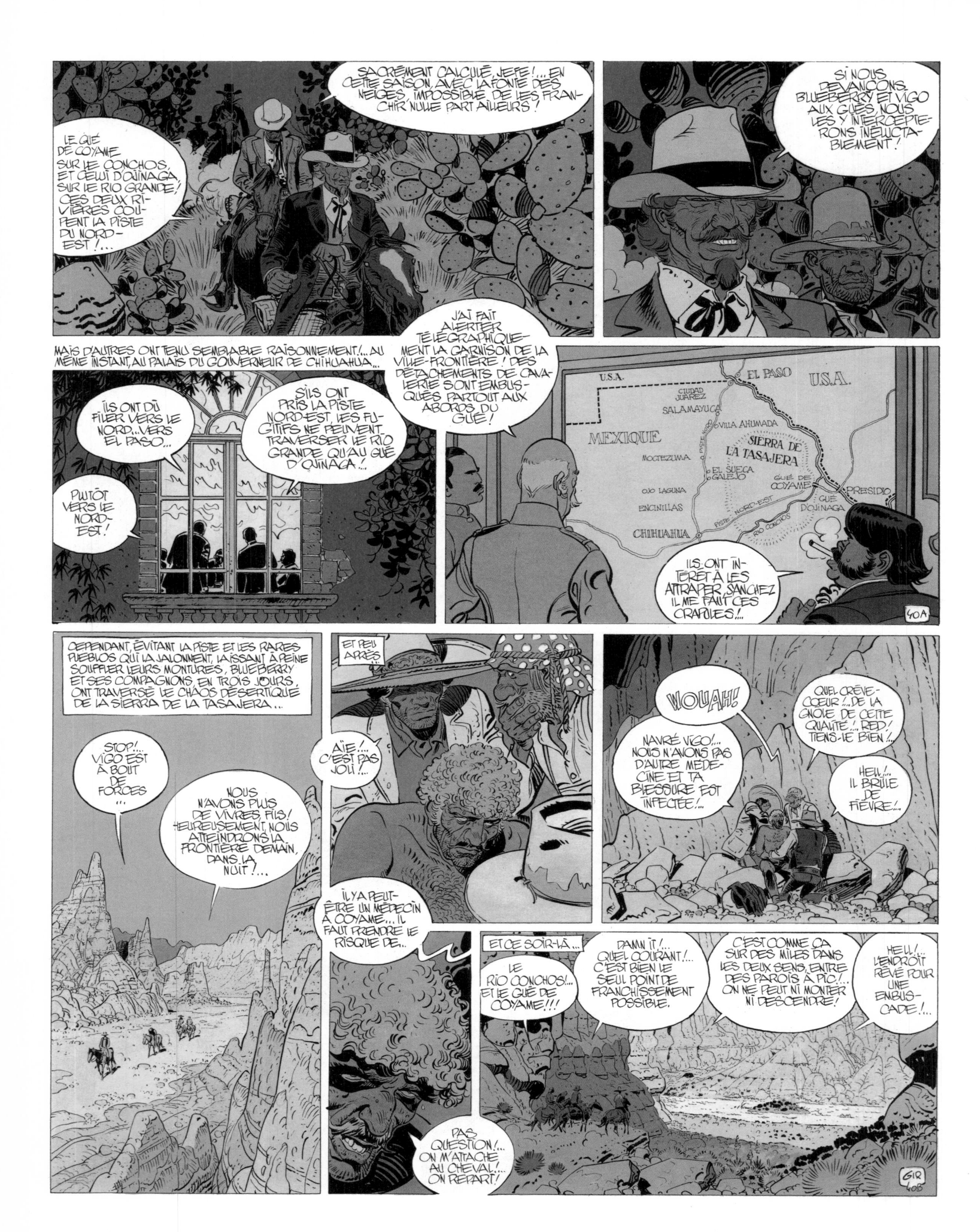
SACRÉMENT CALCULÉ, JEFE !... EN CETTE SAISON, AVEC LA FONTE DES NEIGES, IMPOSSIBLE DE LES FRANCHIR NULLE PART AILLEURS !
LE GUÉ DE COYAME SUR LE CONCHOS, ET CELUI D'OJINAGA SUR LE RIO GRANDE ! CES DEUX RIVIÈRES COUPENT LA PISTE DU NORD-EST !...
SI NOUS DEVANÇONS BLUEBERRY ET VIGO AUX GUÉS, NOUS LES Y INTERCEPTERONS INÉLUCTABLEMENT !
MAIS D'AUTRES ONT TENU SEMBLABLE RAISONNEMENT !... AU MÊME INSTANT, AU PALAIS DU GOUVERNEUR DE CHIHUAHUA...
ILS ONT DÛ FILER VERS LE NORD... VERS EL PASO...
PLUTÔT VERS LE NORD-EST !
S'ILS ONT PRIS LA PISTE NORD-EST, LES FUGITIFS NE PEUVENT TRAVERSER LE RIO GRANDE QU'AU GUÉ D'OJINAGA !...
J'AI FAIT ALERTER TÉLÉGRAPHIQUEMENT LA GARNISON DE LA VILLE-FRONTIÈRE ! DES DÉTACHEMENTS DE CAVALERIE SONT EMBUSQUÉS PARTOUT AUX ABORDS DU GUÉ !
U.S.A.
EL PASO
U.S.A.
CIUDAD JUAREZ
SALAMAYUCA
VILLA AHUMADA
MEXIQUE
SIERRA DE LA TASAJERA
MOCTEZUMA
EL SUECA GALEJO
GUÉ DE COYAME
OJO LAGUNA
PRESIDIO
GUÉ D'OJINAGA
ENCINILLAS
PISTE NORD-EST
RIO CONCHOS
CHIHUAHUA
ILS ONT INTÉRÊT À LES ATTRAPER, SANCHEZ. IL ME FAUT CES CRAPULES !...
40A
CEPENDANT, ÉVITANT LA PISTE ET LES RARES PUEBLOS QUI LA JALONNENT, LAISSANT À PEINE SOUFFLER LEURS MONTURES, BLUEBERRY ET SES COMPAGNONS, EN TROIS JOURS, ONT TRAVERSÉ LE CHAOS DÉSERTIQUE DE LA SIERRA DE LA TASAJERA...
STOP !... VIGO EST À BOUT DE FORCES...
NOUS N'AVONS PLUS DE VIVRES, FILS ! HEUREUSEMENT, NOUS ATTEINDRONS LA FRONTIÈRE DEMAIN, DANS LA NUIT !...
ET PEU APRÈS...
AÏE !... C'EST PAS JOLI !...
IL Y A PEUT-ÊTRE UN MÉDECIN À COYAME... IL FAUT PRENDRE LE RISQUE DE...
PAS QUESTION !... ON M'ATTACHE AU CHEVAL !... ON REPART !
WOUAH !
NAVRÉ VIGO !... NOUS N'AVONS PAS D'AUTRE MÉDECINE ET TA BLESSURE EST INFECTÉE !...
QUEL CRÈVE-CŒUR !... DE LA GNÔLE DE CETTE QUALITÉ !... RED ! TIENS-LE BIEN !
HELL !... IL BRÛLE DE FIÈVRE !...
ET CE SOIR-LÀ...
LE RIO CONCHOS !... ET LE GUÉ DE COYAME !!!
DAMN IT !... QUEL COURANT !... C'EST BIEN LE SEUL POINT DE FRANCHISSEMENT POSSIBLE.
C'EST COMME ÇA SUR DES MILES DANS LES DEUX SENS, ENTRE DES PAROIS À PIC !... ON NE PEUT NI MONTER NI DESCENDRE !
HELL ! L'ENDROIT RÊVÉ POUR UNE EMBUSCADE !...
GIR
40B

À LA NUIT, JE ME RISQUERAI LE PREMIER À DÉCOUVERT ! VOUS ATTENDREZ ICI MON SIGNAL... RED SUIVRA ALORS AVEC VIGO !... PUIS MAC !
PUISQUE TU LE DIS !...
UNE HEURE PLUS TARD...
!!! DAMNÉ COURANT.
BIENTÔT, UN HULULEMENT DÉCHIRE LA NUIT...
LE SIGNAL. LE GAMIN EST PASSÉ SANS ENCOMBRE ! À TOI, RED !
RED NECK ET VIGO, À LEUR TOUR, ONT FRANCHI LE GUÉ...
BEN TU VOIS... AUCUN PIÈGE !
T'Y FIE PAS, RED !...
CRAINTE JUSTIFIÉE ! MALGRÉ L'OBSCURITÉ, DES YEUX ATTENTIFS ONT TOUT OBSERVÉ !
ÇA Y EST !... LE DERNIER EST PASSÉ ET REJOINT LES AUTRES ! JEFE ! QU'ATTEND-ON ?!...
CRÉTIN ! NOUS IGNORONS SI VIGO A RÉCUPÉRÉ SON OR !
SI ON A LE MALHEUR DE LE CAPTURER AVANT, CE SALAUD SE TAIRA, MÊME SOUS LA TORTURE ! ...
... LAISSONS-LE NOUS MENER À SA CACHE LUI-MÊME ET À SON INSU !
L'AUBE SE LÈVE...
ON S'EN EST BIEN SORTI !...
HI HI !... BIENTÔT LA FRONTIÈRE !
PAS D'ESPOIR PRÉMATURÉ, CHAPS !... LE PIRE NOUS ATTEND ENCORE ! LE GUÉ D'OJINAGA À LA FRONTIÈRE SUR LE RIO GRANDE !
PLUS TARD, SOUDAIN...
HEY ! ÉCOUTEZ !... UN BRUIT DE CASCADE !
HEIN !?... CASCADE ? HALTE !!
... C'EST BIEN UNE CASCADE ! GOOD LORD !... UN BEL ENDROIT...
LA... LA CACHETTE !
HEY MIKE ! ÉCOUTE !
LÀ !... SOUS... SOUS LA CHUTE !... UN PASSAGE... LE... LE... SORCIER... OOOH... MA TÊTE... J'AI MAL !...
GOOD LORD !... IL DÉLIRE !
RED ! MAC ! OCCUPEZ-VOUS DE LUI !... JE VAIS JETER UN COUP D'OEIL !

SOUDAIN...
VIGO!
ÇA Y EST... IL EST TOMBÉ DANS LES POMMES!...
SA BLESSURE PUE!... Y A DE L'INFECTION!...
ON VA LE METTRE LÀ!... À L'OMBRE!...
CEPENDANT...
AUCUN PASSAGE!...
PLUS HAUT PEUT-ÊTRE!
LÀ!... SOUS LA CHUTE!... UN VIDE!...
UNE OUVERTURE!... L'ENTRÉE D'UNE GROTTE!...
42A
UN PASSAGE SOUTERRAIN!... ET DIABLEMENT PROFOND!
UNE LUEUR!... ENFIN...
ET SOUDAIN BLUEBERRY DÉBOUCHE DANS UNE VASTE SALLE SOUTERRAINE ÉCLAIRÉE PAR QUELQUES CHEMINÉES CREUSÉES PAR LE TEMPS DANS LE COEUR DE LA MONTAGNE
UNE NÉCROPOLE INDIENNE.
POUCE PAR POUCE, BLUEBERRY EXPLORE LA CAVERNE, ET SOUDAIN...
LE SORCIER!... IL FAUT SÛREMENT CREUSER LÀ!...
ET BIENTÔT...
HÉ!... J'AI HEURTÉ QUELQUE CHOSE... !!?
TONG
LE TRÉSOR DE GUERRE DE VIGO!...
BON SANG. IL FAUT QUE JE SACHE SI CE RAT A MENTI!... MAIS SI JE TIRE SUR LE CADENAS JE RISQUE D'ALERTER TOUTES LES...
BANG
!?
GIR
42B

LÂCHE TON ARME BLUEBERRY!... ET LES MAINS EN L'AIR, VITE!
EL TIGRE!
TU CROYAIS ROULER LE MARQUIS DE LISTRAC, PAUVRE PETIT YANKEE!...

TU AS FAIT UNE INTÉRESSANTE DÉCOUVERTE ON DIRAIT... POSE-LA ICI DANS LE RAYON DE SOLEIL, QU'ON VOIE CE QUE ÇA CACHE!!...
QU'AS-TU FAIT DE VIGO ET DES DEUX AUTRES, LISTRAC ?

HA HA... TES AMIS ÉTAIENT TELLEMENT OCCUPÉS À JOUER LES INFIRMIÈRES QU'ON N'A EU QU'À LES CUEILLIR... ALLEZ!... OUVRE CE FICHU COFFRE!

CEPENDANT...
MAC!... IL SUFFOQUE!... LA BLESSURE EST DEVENUE HORRIBLE!...
LA GANGRÈNE! IL EST FICHU!
HA HA!!... VOUS ÊTES TOUS FICHUS, AMIGOS!... "EL TIGRE" N'A PAS L'HABITUDE DE LAISSER DES TÉMOINS GÊNANTS DERRIÈRE LUI!!...

ENTRETEMPS...
GOSH!!...
ALORS?! Y'A DU FRIC?...
SURPRIS, HEIN?... HA HA HA!... TU NE T'ATTENDAIS PAS À TOMBER SUR UN TEL MAGOT... ...LES PETITES ÉCONOMIES DE VIGO !!!
43A

DE L'OR ET DES MASSES DE DOLLARS... DES GROS BILLETS!...
LANCE-MOI ÇA, YANKEE !!...
ET UN COLT CHARGÉ!... GEE!... VIGO AVAIT TOUT PRÉVU, MÊME CE GENRE DE COUP DUR!

DE L'OR! UNE PLUIE D'OR!
BOWLAND! RAMASSE!... ADIEU L'AMÉRIQUE!... JE RENTRE À LA MAISON!... LE... LE CHÂTEAU... LA FRANCE... !!!

TIGRE... ATTENTION! TU ES EN TRAIN DE PIQUER UNE CRISE !!! TU ES MALADE!
QUOI!?... HEIN?

TU ES MALADE TIGRE!!... TU NE...
ARRH
BLAWM

DÉMON!... JE T'AVAIS PRÉVENU DE NE PLUS DIRE ÇA!!
BON SANG!... CE TYPE EST VRAIMENT FOU!...

PAW
ET EN PLUS, TU EN VOULAIS À MON OR!...
TOI AUSSI, CRÈVE MALDITO!

MAIS LE TREMBLEMENT NERVEUX QUI SECOUE LE FRANÇAIS A DÉRÉGLÉ SON TIR !... SES BALLES SE PERDENT TANDIS QUE BLUEBERRY RÉAGIT AVEC UNE RAPIDITÉ FULGURANTE.
PAW PAW PAW PAW
PAW
GOOD BYE, MARQUIS ...
LE GRONDEMENT DE LA CATARACTE A TOTALEMENT ÉTOUFFÉ LES DÉTONATIONS ET... AU-DEHORS...
B... BLUEBERRY !...
MAC ! VIGO REPREND CONNAISSANCE.
PAS LA PEINE !... HÉ ! McGRAW, SI ON LIQUIDAIT CES TROIS DÉBRIS ÇA NOUS FERAIT GAGNER UN BON BOUT DE TEMPS ...
BONNE IDÉE, SAMMY !... À TOI LE VIEUX CROÛTON !...
VIEUX CROÛTON, MOI ?
MAIS SOUDAIN...
ON NE BOUGE PLUS !... LÂCHEZ VOS PÉTOIRES LES GARS !...
!!!
MIKE !
HEIN ?!
LES DEUX BANDITS, ESPÉRANT PROFITER DE LEUR NOMBRE POUR SURPRENDRE LEUR ADVERSAIRE, FONT UNE BRUSQUE VOLTE-FACE, MAIS...
MIKE !... ATT...
PAW
PAW
BLUEBERRY EST PLUS RAPIDE QU'EUX... SON COLT CRACHE COUP SUR COUP AVEC UNE TERRIBLE PRÉCISION.
PAW PAW
SONT TOUS PAREILS CES MALFRATS... ILS VOUS OBLIGENT À FAIRE PARLER LA POUDRE !
HEY, MIKE !... MILLE PUTOIS, T'ES BLESSÉ AU BRAS FISTON !
TROIS FOIS RIEN. MAIS LES DEUX AUTRES, LÀ-HAUT, SONT MORTS ÉGALEMENT !... RED... MAC... VENEZ VOIR CE QUE JE RAMÈNE !...
... LÀ... LE REÇU OFFICIEL QUI M'INNOCENTE DU VOL DU TRÉSOR DE GUERRE SUDISTE, ET UN RAPPORT CIRCONSTANCIÉ DE VIGO, RELATANT SON LARCIN, PARAPHÉ PAR TOUS LES DESTINATAIRES, DONT JUAREZ ET DIAZ ...
BRAVO FISTON !... CETTE FOIS, TU LA TIENS, TA RÉHABILITATION !!
PRÉSIDENCE DE LA RÉPUBLIQUE DU MEXIQUE
LE PRÉSIDENT
Reçu du commandant Francisco Juan Vigo 500.000 dollars U.S. illégalement introduits au Mexique, par des officiers confédérés des états-unis et confisqués par lui sur mon ordre formel
le 15 Juin 1865
Benito Juarez
ont contresigné, comme témoins
le 27 mars 1865

PLUS TARD...
TON TRÉSOR EST LÀ, VIGO!... MANQUE PAS UN CENT! NOUS VOILÀ QUITTES!... SITÔT PASSÉ LE RIO GRANDE NOUS TE CONFIERONS À UN DOCTEUR...
T... TROP TARD!... F... FINI P... POUR MOI!... T... TOUT EST INUTILE! M... MÊME CET OR!...
IL... IL EST À TOI YANKI!!.... JE TE DOIS B.. BIEN CE... CE DÉDOMMAGEMENT.
QUOI!?
P... PRENDS-LE ET FOUS LE CAMP!... JE... J'EXIGE LE... LE DROIT DE C... CREVER S... SANS TÉMOIN!
JE SOUFFRE TROP!... LAISSE-MOI UN COLT!... V... VA-T'EN!!... PAR PITIÉ.
VIGO!
SECOUE-TOI, FILS!... FAUT LUI OBÉIR!
M... MERCI!... AU FOND, JE T'AI TOUJOURS ESTIMÉ, YANKI!... ADIOS!... ADIOS A... AMIGO!...
DIEU T'AIT EN AIDE VIGO!...
HELL!... PUISQUE VIGO TE L'A LÉGUÉ!... ON N'ALLAIT TOUT DE MÊME PAS ABANDONNER CE MAGOT AU PREMIER VENU, MILLE PUTOIS!
PAW
PEU APRÈS...
VIGO?!
YUP!... VIENT D'ABRÉGER SES SOUFFRANCES! DIEU LUI PARDONNE!
PLUS TARD...
HÉ! MIKE!... LE GUÉ D'OJINAGA EST PAR LÀ!...
OUAIS!... ET LES MEXS AUSSI!... FAUDRA FRANCHIR LE RIO GRANDE AILLEURS!... LE PLUS LOIN POSSIBLE!!...
45A
MAIS!... IL N'Y A AUCUN GUÉ PAR ICI!... T'AS VU LA VIOLENCE DES EAUX... ON POURRA JAMAIS FAIRE TRAVERSER LES CHEVAUX...
T'INQUIÈTE PAS MAC!... J'AI MON IDÉE!
MINUIT, AU GUÉ D'OJINAGA
MÊME UN RAT NE PASSERAIT PAS LE GUÉ SANS ÊTRE REPÉRÉ!
MAIS... ET SI LES GRINGOS PASSAIENT À LA NAGE, EN AMONT OU EN AVAL?
HÉHÉ!... LE COURANT LES EMPORTERAIT IRRÉSISTIBLEMENT JUSQU'AUX RAPIDES OÙ ILS SE NOIERAIENT.
À DIX MILES AU SUD, LES FUGITIFS LONGENT DEPUIS UNE HEURE LE RIO GRANDE, QUAND...
ON VA TRAVERSER ICI.
T'ES FOU! JAMAIS NOS BÊTES NE POURRONT AFFRONTER UN FLOT PAREIL!
ON LES ABANDONNE! NOUS EN ACHÈTERONS D'AUTRES À PRESIDIO... RED... ON VA UTILISER LES LASSOS QUI SONT SUR LES CHEVAUX DEL TIGRE ET DE SES HOMMES!...
GIR
45B

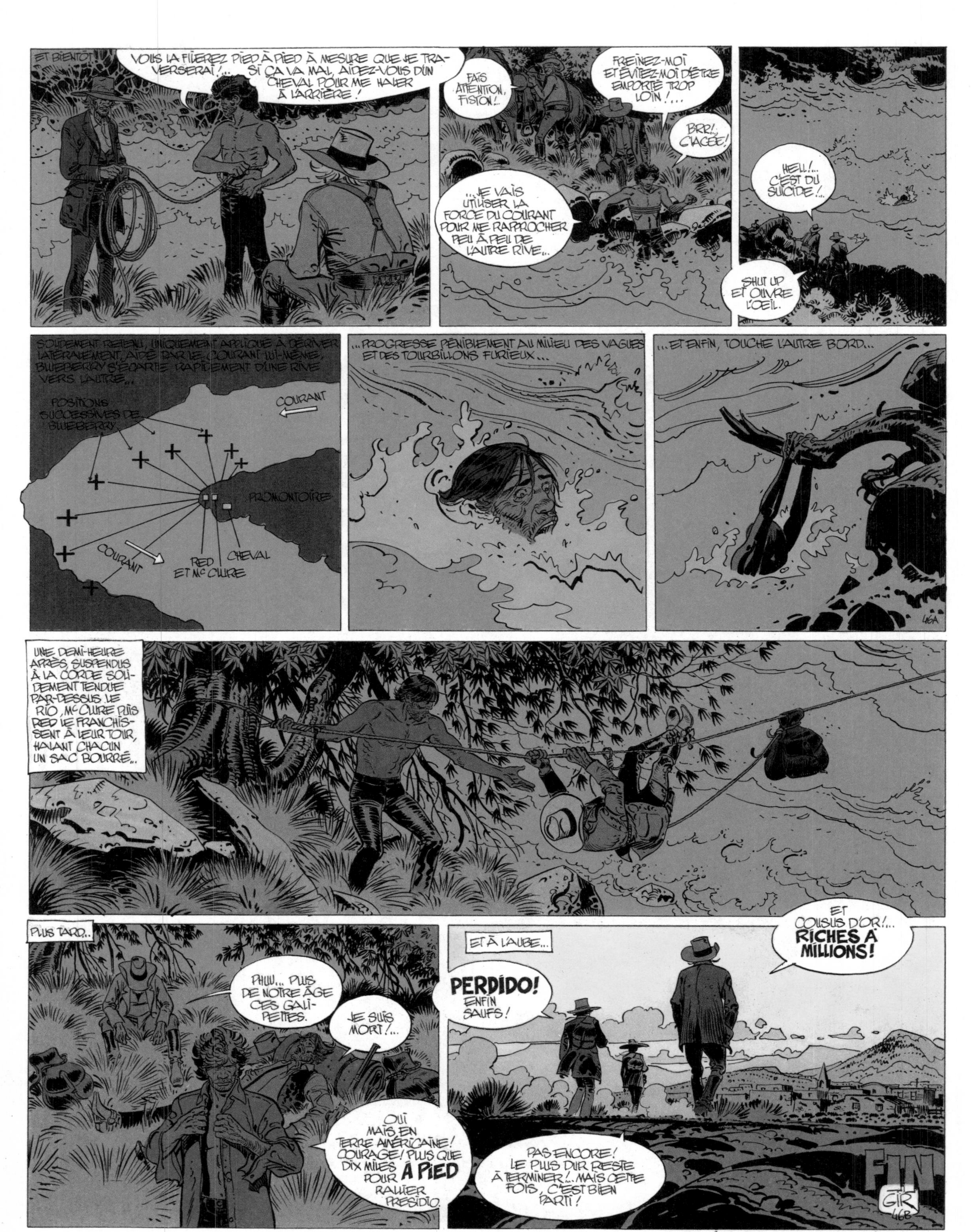

PROCHAIN ALBUM = "LE BOUT DE LA PISTE"

LE BOUT DE LA PISTE

LA GARE D'UNE PETITE VILLE PERDUE DE L'UTAH, AUX APPROCHES DES "ROCHEUSES".
VOILÀ LE TRAIN !.. PAR MES BOTTES, MON GARÇON, T'AS JUSTE LE TEMPS DE GALOPER JUSQU'À LA GARE ET D'ACHETER TON BILLET !..
J'AIME MIEUX ÇA QUE DE TRAÎNER TROP LONGTEMPS AU MILIEU DES AUTRES VOYAGEURS !..

T'AS RAISON !.. C'EST PAS LE MOMENT D'ÊTRE RECONNU !..
J'ESPÈRE QUE TES RENSEIGNEMENTS SONT SÛRS !..
DE PREMIÈRE FISTON !.. LE WAGON SPÉCIAL EST LE DERNIER EN QUEUE DU TRAIN !..

SO LONG RED !.. RENDEZ-VOUS AU POINT CONVENU !..
J'ATTENDS QUE TU AIES EMBARQUÉ SANS ENCOMBRE...

BYE KID !.. ET TÂCHE DE PAS RATER TON COUP !..

UN ALLER PREMIÈRE JUSQU'À DENVER !..
L'ÉTAIT TEMPS M'SIEUR !.. L'TRAIN VA PARTIR !

D'OÙ DIABLE SORT CE GARS-LÀ ? L'EST PAS D'ICI, J'EN JURERAIS !.. ET POURTANT... C'EST SACRÉMENT BIZARRE !..

WANTED
DEAD OR ALIVE
EX LEUTNANT OF U.S.
M.S. BLUEBERRY
10.000 DOLLARS
J'SUIS CARRÉMENT SÛR DE L'AVOIR DÉJÀ EU EN FACE DE MOI !..

À MOINS QUE... GOOD LORD!.. ET J'AI SA PHOTO SOUS LES YEUX DEPUIS PLUS D'UN AN!..
TUUUHHT!
C'EST LUI!.. C'EST BIEN LUI!..
AVAIRY
ERRY
DOLLARS

ARRÊTEZ-LE!.. STOPPEZ LE TRAIN! "L'HOMME DE L'AFFICHE" VIENT D'MONTER D'DANS!..
?
!!!
??

DAMN IT!.. NE ME DIS PAS QUE C'EST CELUI AUX 10.000 DOLLARS!..
TOUT JUSTE!.. À CINQ SECONDES PRÈS, ON DÉCROCHAIT LE GROS LOT!.. O.K!.. LE MIEUX EST DE TÉLÉGRAPHIER LA NOUVELLE À LA PROCHAINE GARE!..

ÇA N'A PAS LOUPÉ!.. LE TYPE M'A RECONNU!..

BAH!.. L'ESSENTIEL EST QU'ICI PERSONNE N'A ENTENDU SES CRIS DE PUTOIS!.. HELL! FAUDRA POURTANT QUE TOUT SOIT RÉGLÉ AVANT LA PROCHAINE GARE!..
HI M'AM!.. CETTE PLACE EST LIBRE?

PLUS TARD
PLUS AUCUN EMPLOYÉ DE LA COMPAGNIE EN VUE!.. O.K. JE CROIS BIEN QUE C'EST LE MOMENT D'Y ALLER!..
41

POUAH!.. COMMENT PEUVENT-ILS LAISSER MONTER EN PREMIÈRE CLASSE DES HOMMES QUI SENTENT AUSSI MAUVAIS!..
M'AME!.. CE PAYS N'EST PAS ENCORE COMPLÈTEMENT CIVILISÉ!..

HM... INUTILE DE FAIRE UN CARTON SUR LES FILS DU TÉLÉGRAPHE... L'ALERTE DOIT ÊTRE DONNÉE DEPUIS LONGTEMPS...

EN EFFET!.. LA RÉPONSE À NOTRE MESSAGE, TOM!.. LE MARSHAL DE DELMER ROCK LE CUEILLERA AU PROCHAIN ARRÊT!..

AU MÊME INSTANT, À L'INTÉRIEUR DU WAGON PRIVÉ ATTELÉ EN QUEUE DU TRAIN...
CES CRIS, SIR!.. AU DÉPART DE LA DERNIÈRE GARE... C'ÉTAIT COMME S'ILS AVAIENT CHERCHÉ À NOUS PRÉVENIR DE...
TOC TOC

OH!.. MY GOD!..
PAR L'ENFER! QUI VOUS A PERMIS DE PÉNÉTRER DANS CE WAGON?.. QUI ÊTES-VOUS?..
PAS DE PANIQUE!.. JE NE VEUX DE MAL À PERSONNE!..
?
GOOD LORD!.. UNE AT-... ATTAQUE!..

DÉSOLÉ GÉNÉRAL!.. J'AI DÛ AUSSI METTRE SOUS CLÉ VOTRE CUISINIER ET UNE CAMÉRISTE! MAIS JE N'AVAIS PAS D'AUTRE CHOIX POUR OBTENIR UN ENTRETIEN!
!!?

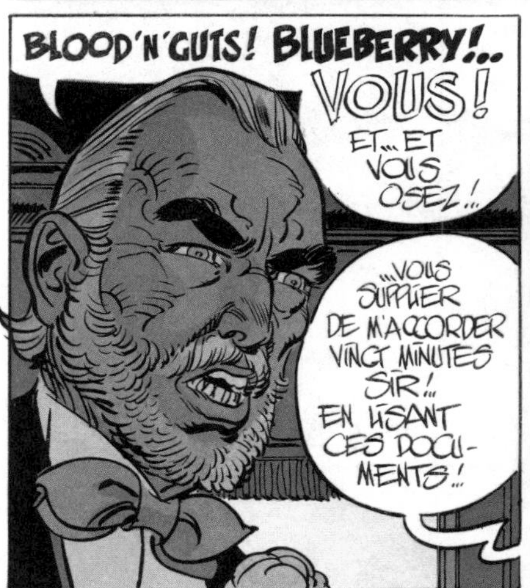
BLOOD'N'GUTS! BLUEBERRY!.. VOUS! ET... ET VOUS OSEZ!..
...VOUS SUPPLIER DE M'ACCORDER VINGT MINUTES SIR!.. EN LISANT CES DOCUMENTS!..

JE SUPPOSE QUE J'Y SUIS BIEN FORCÉ!..
SEULEMENT EN SOUVENIR DU JOUR OÙ JE VOUS AI SAUVÉ LA MISE!..(1)
"...AU PRIX DE VOTRE NEZ CASSÉ!.. JE NE L'AI JAMAIS OUBLIÉ MIKE!.. ...NI LE BON TRAVAIL QUE VOUS AVEZ FAIT PENDANT LA CONSTRUCTION DE CETTE LIGNE!..
(1) VOIR: "LA JEUNESSE DE BLUEBERRY"
(1) VOIR: "LE CHEVAL DE FER"
GIR 3A

C'EST VRAI QUE VOUS AVEZ ÉTÉ UN SACREMENT BON SOLDAT!.. DAMN IT! COMMENT AVEZ-VOUS PU DEVENIR CE TRAÎTRE, CE RENÉGAT! CE...
C'EST CE QUE JE VIENS VOUS EXPLIQUER, SIR!.. TRAQUÉ COMME JE LE SUIS, JE NE POUVAIS VOUS APPROCHER AUTREMENT...

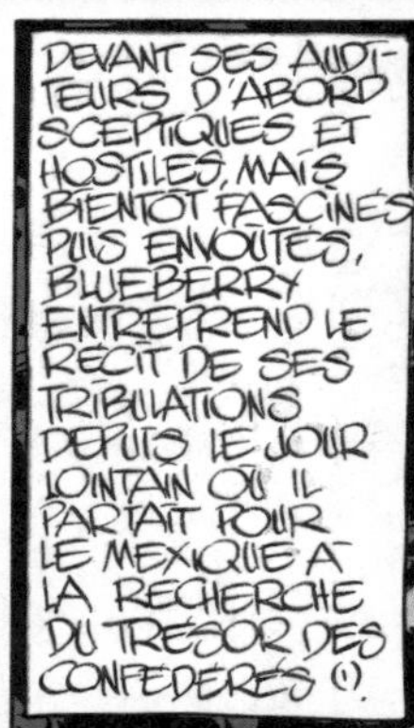
DEVANT SES AUDITEURS D'ABORD SCEPTIQUES ET HOSTILES, MAIS BIENTÔT FASCINÉS PUIS ENVOÛTÉS, BLUEBERRY ENTREPREND LE RÉCIT DE SES TRIBULATIONS DEPUIS LE JOUR LOINTAIN OÙ IL PARTAIT POUR LE MEXIQUE À LA RECHERCHE DU TRÉSOR DES CONFÉDÉRÉS (1)

(1) VOIR LA SÉRIE DES ÉPISODES DE "CHIHUAHUA PEARL" À "LA DERNIÈRE CARTE"

VOILÀ, GÉNÉRAL COMMENT ON A FAIT DE MOI UN OUTLAW... QUANT AUX PREUVES DE MON INNOCENCE... LES VOILÀ!.. ELLES SONT IRRÉFUTABLES!..(1)
VOYONS CES FAMEUSES PREUVES!..
(1) VOIR: "LA DERNIÈRE CARTE"

GOOD LORD!.. EN EFFET INDISCUTABLES!.. MIKE, VOUS M'AVEZ CONVAINCU...
HM... JE VOIS MAINTENANT POURQUOI VOUS ÊTES VENU ME RACONTER TOUT ÇA... QUI D'AUTRE PARMI VOS CONNAISSANCES A LA POSSIBILITÉ D'APPROCHER LE PRÉSIDENT GRANT
HUH!.. TOUJOURS AUSSI RAPIDE, GÉNÉRAL!
GIR 3B

JE SAIS QUE VOUS PARTEZ SOUTENIR LA CAMPAGNE ÉLECTORALE QU'IL ENTAME POUR SA RÉÉLECTION !.. SI VOUS PLAIDEZ MA CAUSE, IL VOUS ÉCOUTERA !.. MOI, JE N'AI AUCUNE CHANCE... MA TÊTE EST SUR TROP DE MURS... ET LA PRIME DE 10 000 DOLLARS.
MON DIEU, MAIS VOUS SERIEZ ABATTU AVANT D'AVOIR PU COMMENCER À VOUS EXPLIQUER.

O.K... JE VOUS DONNE MA PAROLE... JE VAIS TRANSMETTRE CES PIÈCES À GRANT !.. ET TOUT FAIRE POUR QUE JUSTICE VOUS SOIT RENDUE... EN TANT QUE PRÉSIDENT DE CETTE COMPAGNIE, J'AI LE BRAS LONG... MAIS...
MAIS...

VOUS DEVEZ VOUS LIVRER À LA JUSTICE !.. VOUS NE POUVEZ CONTINUER À LUTTER SEUL CONTRE TOUS EN MARGE DES LOIS !
RESTEZ AVEC NOUS ! RENDEZ-VOUS À MON MARI... IL VOUS PROTÉGERA !..
IMPOSSIBLE MA'AME !.. IL ME RESTE À PROUVER MON INNOCENCE DANS L'ATTENTAT CONTRE GRANT, ET À CONFONDRE LES VÉRITABLES COUPABLES !..

... SANS PREUVES, MÊME LE PRÉSIDENT NE PEUT RIEN CONTRE EUX ET JE SUIS PERDU !.. CES RASCALS SONT PUISSANTS ET CONTRÔLENT DE NOMBREUX COMPLICES !..
4A
GIR

SITÔT CONNUE MA REDDITION ILS PRENDRONT TOUTES LEURS PRÉCAUTIONS, AU BESOIN EN SE DÉBROUILLANT POUR ME FAIRE TAIRE DÉFINITIVEMENT !
DAMNÉE TÊTE DE MULE !.. FAITES-MOI DONC CONFIANCE !.. NOUS AUSSI, NOUS SOMMES PUISSANTS !.. LIVREZ-VOUS !..

DÉSOLÉ SIR !.. PAS QUESTION AVANT D'AVOIR FAIT ÉCLATER MON INNOCENCE !..
MAIS ALORS, JE VOUS LE JURE, JE ME LIVRERAI AUSSITÔT À LA JUSTICE !..
JE VOIS !..

OK... MIKE !.. JOUEZ DONC VOS CARTES À VOS RISQUES ET PÉRILS !.. HM... JE VAIS ÊTRE OBLIGÉ DE SIGNALER VOTRE INTRUSION ICI AUX AUTORITÉS !
DE TOUTE FAÇON, J'AI ÉTÉ REPÉRÉ À MA MONTÉE DANS LE TRAIN !.. POUR LE RESTE, JE VOUS GARDERAI UNE RECONNAISSANCE ÉTERNELLE, SIR !.. À PRÉSENT, JE DOIS PARTIR !

ET POUR L'AMOUR DU CIEL... MIKE !.. LA PROCHAINE FOIS, PRENEZ UN BAIN... VOUS PUEZ COMME MILLE BOUCS !..
HAHA ! PROMIS SIR !
GIR
4B

VITE! LE SIGNAL D'ALARME! IL FAUT STOPPER LE TRAIN!..
IL EST INNOCENT. J'EN SUIS SÛRE!.. DARLING, LAISSEZ-LUI SA CHANCE!..
HÉHÉ!.. FACILE!.. IL A DÉJÀ DÛ SAUTER DE LA PLATE-FORME ARRIÈRE, ET SE PERDRE DANS LA NUIT!.. D'AILLEURS, QUE POURRIONS-NOUS FAIRE?.. LANCER LE TRAIN À SES TROUSSES À TRAVERS LA SAVANE?..
OUF!.. DODGE N'A PAS ARRÊTÉ LE TRAIN!.. ET VOILÀ LA MONTÉE DES "LONE HILLS". SI MAC S'EST PAS ENDORMI SUR UNE BOUTEILLE DE GNÔLE, JE VAIS PAS TARDER À VOIR SON SIGNAL!.. AH!.. LE VOILÀ!!
EN AVANT!
YAARR!
HEY, FILS!.. EN FORME POUR SAUTER?
T'INQUIÈTE PAS POUR ÇA ET APPROCHE LA BÊTE!..
YAOOO!
GIR

OK! MAINTENANT DIRECTION FRANCISVILLE
FRANCISVILLE!??! MILLE PUTOIS!.. MAIS... C'EST PAS LÀ QUE T'AS TIRÉ TON TEMPS DE PENITENCIER? T'ES FOU!? C'EST TOUT JUSTE L'ENDROIT À ÉVITER!.. (1)
OUAIS!.. MAIS LÀ-BAS IL Y A UN DÉNOMMÉ KELLY (1) À QUI J'AI DEUX MOTS À DIRE!
BON SANG, MIKE, ÇA TE RESSEMBLE PAS DE VOULOIR CHERCHER VENGEANCE... PENSE PLUTÔT À L'OR DE VIGO QUI NOUS ATTEND DE L'AUTRE CÔTÉ DE LA FRONTIÈRE (2) Y A DE QUOI VIVRE PEINARDS JUSQU'À LA FIN DE NOS JOURS...
PEINARDS? ...JUSQU'À LA FIN DE NOS JOURS?
(1) VOIR "LE HORS-LA-LOI"
(2) VOIR "LA DERNIÈRE CARTE"
JE ME SUIS JURÉ DE SURTOUT RÉGLER CE COMPTE-LÀ, MAC... LIBRE À TOI DE DÉCROCHER ET D'ALLER RÉCUPÉRER TA PART POUR OUVRIR LE SALOON DE TES RÊVES!..
HEY!? ???
HEU... VAUT MIEUX PAS!.. J'S'RAIS CAPABLE DE VIDER LES RÉSERVES, UN SOIR DE CAFARD!..
PLUS TARD
EN FAIT, CE KELLY EST LE SEUL LIEN QUI ME PERMET DE REMONTER JUSQU'AU RASCAL QUI M'A FAIT ACCUSER D'AVOIR VOULU TUER GRANT!
RED NOUS PRÉCÈDE PAR LE TRAIN! EN NOUS ATTENDANT, IL ÉPIERA LES MOINDRES FAITS ET GESTES DE KELLY!
MILLE PUTOIS, L'AURA LE TEMPS, D'ICI QU'ON SE POINTE LÀ-BAS! PAS QUESTION DE TRAIN POUR NOUS!..
Y A PAS UNE GARE, PAS UN PATELIN SANS TA PHOTO QUI S'ÉTALE, AVEC PROMESSE DE 10 000 DOLLARS POUR TA CAPTURE, MORT OU VIF!..
...ET ARRÊTE DE BIBERONNER COMME ÇA! TU VAS FINIR PAR VOIR DES ÉLÉPHANTS ROSES AU MILIEU DES CACTUS!
BAH! NOUS LES ÉVITERONS... C'EST PAS LA PLACE QUI MANQUE PAR ICI!..
OH ÇA?! C'EST JUSTE POUR LUTTER CONTRE L'INSOMNIE ET LA FRAÎCHEUR DE LA NUIT, KID... J'AI TOUJOURS EU LES AMYGDALES FRAGILES!.. EN PLUS, DIS DONC, SI TU T'OCCUPAIS DE TES FESSES!? FISTON!? OK.?
O.K.!..
OK!..
TROIS SEMAINES PASSENT AINSI... ÉVITANT LES PISTES, CONTOURNANT LE MOINDRE LIEU HABITÉ, LES DEUX HOMMES CHEVAUCHENT SANS DÉBOTTER, McCLURE SEUL ALLANT ACHETER DES VIVRES OU CHANGER LES CHEVAUX...
ÇA VA!.. ILS NE NOUS ONT PAS VUS!..
ENTRETEMPS, QUELQUE PART EN ALABAMA...
GENTLEMEN, IL SEMBLERAIT QUE CE COYOTE DE BLUEBERRY AIT REFAIT SURFACE!..
HEIN?!

NOTRE "INFORMATEUR" DANS L'ENTOURAGE DU PRÉSIDENT A EU VENT D'UNE RUMEUR INQUIÉTANTE : BLUEBERRY AURAIT CONTACTÉ DODGE ET LUI AURAIT APPORTÉ LES PREUVES IRRÉFUTABLES DE SON INNOCENCE DANS L'AFFAIRE DE L'OR DES CONFÉDÉRÉS...
DAMN IT !...
DODGE LES A TRANSMISES À GRANT QUI, TRÈS IMPRESSIONNÉ, AURAIT CHARGÉ Mc KINLEY, LE CHEF DU "SECRET SERVICE" (1) D'EN CONTRÔLER L'AUTHENTICITÉ...
(1) SERVICE DE SÉCURITÉ PRÉSIDENTIEL, CRÉÉ APRÈS L'ASSASSINAT DE LINCOLN.
BLOOD'N'D GUTS ! JE CROYAIS CE COYOTE EN ENFER DEPUIS UN BOUT DE TEMPS...
FAUT CROIRE QU'IL EN EST SORTI... ET AVEC L'INTENTION MANIFESTE DE RÉGLER SES COMPTES !...
IL FAUT L'Y RENVOYER AU PLUS TÔT ! IL EST TROP DANGEREUX... À CAUSE DU PASSÉ BIEN SÛR MAIS SURTOUT POUR CE QUE NOUS PROJETONS !
GENTLEMEN, PAS D'AFFOLEMENT !... DÈS LE SOIR DE L'ATTENTAT, IL NE RESTAIT PLUS TRACE DE NOUS, NI À DURANGO NI À SANTA FE, ET CECI MALGRÉ MA BLESSURE À L'ÉPAULE ET, HEU... L'ACCIDENT DE LA LOCOMOTIVE (1)... COMMENT BLUEBERRY POURRAIT-IL REMONTER JUSQU'À NOUS ?
(1) VOIR : "ANGEL FACE"
KELLY !?
PAR KELLY !
C'EST LUI QUI NOUS A FOURNI BLUEBERRY COMME BOUC ÉMISSAIRE (1). IL EST L'UNIQUE PISTE QUE CELUI-CI PUISSE SUIVRE... ET ELLE LE MÈNE DROIT À NOUS !...
(1) VOIR : "LE HORS-LA-LOI"
O.K... DANS CES CONDITIONS, JE NE VOIS QU'UNE SOLUTION... J'ENVOIE UNE DEMI-DOUZAINE DE MES GARS À FRANCISVILLE, ET ILS RÈGLENT LE COMPTE DE BLUEBERRY DÈS QU'IL SE POINTE !...
UNE MINUTE BLAKE !
C'EST À MOI QU'APPARTIENT CE CHIEN ! NUL AUTRE QUE MOI N'EXÉCUTERA BLUEBERRY ! C'EST UN DROIT QUE J'AI PAYÉ ASSEZ CHER !
...PAR L'ENFER, JE RÊVE CHAQUE NUIT DE LA FAÇON DONT JE VAIS LE FAIRE CREVER À PETIT FEU...
C'EST PROMIS, C'EST PROMIS !.. MAIS PLUS TARD, KID !.. POUR LE MOMENT...
...C'EST "VIVANT" QUE JE LE VEUX... BON SANG, FAITES MARCHER VOS CERVELLES : CE CRÉTIN RÉAPPARAÎT À POINT NOMMÉ POUR SERVIR DE BOUC ÉMISSAIRE UNE SECONDE FOIS !..
HEIN !
GÉNIAL SIR !
MAIS CETTE FOIS-CI, NOUS NE LE LAISSERONS PAS NOUS ÉCHAPPER !.. GENTLEMEN, LEVONS NOS VERRES ET PORTONS UN TOAST À LA MORT DE GRANT ET AU SUCCÈS DE NOTRE GRANDIOSE PROJET...
GIR
7

LE LENDEMAIN, ACCOMPAGNÉ DE QUELQUES HOMMES DE MAIN, BLAKE EMBARQUE À DESTINATION DE FRANCISVILLE...
NOUS DÉBARQUERONS À LA GARE PRÉCÉDENTE POUR ACHETER DES CHEVAUX...
SUR QU'IL VAUT MIEUX PAS ÉVEILLER LES SOUPÇONS!.. FRANCISVILLE EST UN ENDROIT QUI SENT MAUVAIS!

ENTRETEMPS..
LE BAGNE DE FRANCISVILLE!...

LA SEULE VUE DE CET ENFER ME REND ENRAGÉ!.. MAC!.. PLUS AU NORD, DANS LES COLLINES, IL Y A UNE PETITE VILLE EN RUINES... "FLAT GULCH"...
...C'EST LÀ QUE NOUS NOUS CACHERONS...

...PLUS TARD.
MILLE PUTOIS!.. CHARMANT ENDROIT!
LES RED LEGS (1) Y ONT FAIT UNE DESCENTE PENDANT LA GUERRE CIVILE! LES HABITANTS ONT TELLEMENT EU LA TROUILLE QU'ILS NE SONT JAMAIS REVENUS!
(1) BANDE FAMEUSE QUI SEMAIT LA TERREUR À LA FIN DE LA GUERRE DE SÉCESSION.

NOUS LOGERONS ICI, EN CACHANT LES CHEVAUX À L'INTÉRIEUR... CE SOIR, TU IRAS À FRANCISVILLE ET TU RAMÈNERAS RED... IL LOGE DANS L'UNIQUE HÔTEL.
OK, ÇA FAIT TROP LONGTEMPS QU'IL SE LA COULE DOUCE, CELUI-LÀ!

TARD CETTE NUIT-LÀ.
SALUT, RED!
CONTENT DE TE REVOIR, MIKE...

PEU APRÈS
LE RAT EST BIEN LÀ, MIKE... JE L'AI PAS QUITTÉ DE L'ŒIL DEPUIS QUINZE JOURS... MAIS IL QUITTE RAREMENT SON TROU, ET JAMAIS SANS UNE FORTE ESCORTE.
RIEN D'ÉTONNANT! TOUS LES PRISONNIERS SORTIS VIVANTS DE SES GRIFFES RISQUERAIENT LA CORDE AVEC JOIE RIEN QUE POUR L'ABATTRE!

HELL!.. J'VOIS PAS COMMENT ON VA POUVOIR LUI METTRE LA MAIN DESSUS...
OUAIP, ÇA M'A TOUT L'AIR D'ÊTRE BLOQUÉ...
ERREUR, CHAPS!.. ON A AU CONTRAIRE LE MOYEN DE L'ATTIRER ICI SEUL.. COMME SUR UN PLATEAU!..
MILLE PUTOIS!.. TOUTES CES FICHUES BOUTEILLES SONT ARCHI VIDES!

LE LENDEMAIN, À L'AUBE, SUR UNE PISTE DÉSAFFECTÉE MENANT À FRANCISVILLE.
MÊME KELLY IGNORE NOTRE ARRIVÉE ! LE "VIEUX" L'A SEULEMENT AVERTI PAR LE TÉLÉGRAPHE DE LA PRÉSENCE PROBABLE DE BLUEBERRY DANS LA RÉGION...
VA FALLOIR LE PROTÉGER DE LOIN ET À SON INSU. EN VOILÀ UNE IDÉE TORDUE !

C'EST CELLE DU "VIEUX" AVANT TOUT... NOTRE JOB EST DE COINCER BLUEBERRY ! ET PUIS, TU NOUS VOIS EN TRAIN DE MONTER LA GARDE AUTOUR DU BOSS DU PÉNITENCIER DE FRANCISVILLE...
HA HA !!
HÉHÉ ! CE SERAIT GÊNANT EN EFFET, HI HI HI !..

CE SOIR-LÀ, AU PÉNITENCIER DE FRANCISVILLE...
SIR ! LE VIEUX LEE VIENT D'APPORTER UNE LETTRE POUR VOUS ! UN INCONNU, À LA SORTIE DE LA VILLE LUI A REFILÉ DEUX DIMES POUR QU'IL VOUS LA REMETTE PERSONNELLEMENT !
MERCI SERGENT, VOUS POUVEZ DISPOSER !..

!???

BLUE... B BLUEBERRY !
suis prêt à vou livré
Blueberry contre la moitié
des 10.000 dollars de récompense
impossible de le faire moi-même
car je suis recherché pour
meurtre si c'est OK. vené
seul à Bad Water Hole
pour tout régler
vous attendrai trois
jour... n'essayé pas de me
doublé, j'ai paré a tout
X
BLOODY HELL !
CE CHIEN EST DE RETOUR !

AU MÊME INSTANT
TOUT S'EST BIEN PASSÉ... KELLY, À L'HEURE QU'IL EST, DOIT ÊTRE EN TRAIN DE TRANSPIRER SUR TA FAUSSE DÉNONCIATION ! MAIS JE DOUTE QUE ÇA SUFFISE À FAIRE TOMBER CE RENARD DANS LE PIÈGE !
MOI PAS !

SA CUPIDITÉ EST ENCORE PLUS AVEUGLE QUE SA FÉROCITÉ...
... ET IL EST TOUJOURS PERSUADÉ QUE J'AI VOLÉ ET CACHÉ L'OR DES CONFÉDÉRÉS ! JE LUI FAIS CONFIANCE ! IL VIENDRA...

PAR CONTRE, C'EST SÛR QU'IL VA NOUS MIJOTER UN COUP FOURRÉ, POUR GARDER TOUT... NOUS GUETTERONS SA SORTIE À TOUR DE RÔLE, DU HAUT DES COLLINES DOMINANT LE PÉNITENCIER...

CEPENDANT
CE BILLET RECOUPE BIEN LE CÂBLE DU "VIEUX" ANNONÇANT L'ARRIVÉE PROBABLE DE BLUEBERRY, MAIS...
... EST-CE UN PIÈGE OU UN COUP DE CHANCE INESPÉRÉ ???
GIR
9

AU MÊME MOMENT...
NOUS NOUS RELAIERONS DEUX PAR DEUX POUR SURVEILLER NUIT ET JOUR LES ABORDS DU PÉNITENCIER ! S'IL EST VRAIMENT LÀ, BLUEBERRY FINIRA BIEN PAR VENIR RÔDER DANS LE COIN !
IL Y A UN PETIT BOIS À UN DEMI-MILLE DE L'ENTRÉE DU CAMP. ÇA FERA UN POSTE DE GUET IDÉAL !
CETTE NUIT-LÀ, INCAPABLE DE TROUVER LE SOMMEIL, KELLY SE RONGE DE QUESTIONS FIÉVREUSES.
C'EST UN PIÈGE !.. UN PIÈGE MONTÉ PAR BLUEBERRY LUI-MÊME !
HMM... POURQUOI SE COMPLIQUERAIT-IL LA VIE, ALORS QU'IL PEUT ME DESCENDRE DE LOIN, AU FUSIL À LUNETTE, À MA PROCHAINE SORTIE DU PÉNITENCIER...
ET SI TOUT CELA ÉTAIT VRAI ?.. UN ANCIEN COMPLICE DE BLUEBERRY QUI AURAIT CRAQUÉ ! HM... LE RISQUE EST GROS MAIS LE JACKPOT EN JEU EST FABULEUX !
ET, AU PETIT MATIN
LES RISQUES, JE PEUX LES LIMITER... IL SUFFIT DE PRENDRE QUELQUES DISPOSITIONS
OH! TOBIAH! APPELLE-MOI JOSHUA TOUT DE SUITE !
YES SIR!
ET, UNE HEURE PLUS TARD...
ALORS, C'EST BIEN COMPRIS ?
... UNE DEMI-HEURE APRÈS MON DÉPART, TU QUITTES LE PÉNITENCIER AVEC UN PELOTON... VOUS FEIGNEZ D'ALLER VERS LA VILLE ET...
ET SITÔT HORS DE VUE, NOUS BIFURQUONS VERS BAD WATER HOLE...
QUE NOUS CERNONS DISCRÈTEMENT EN ATTENDANT VOTRE SIGNAL...
AU CAS OÙ JE SERAIS ENTRAÎNÉ AILLEURS, JE LAISSERAIS UN MESSAGE... OU JE BALISERAIS MA PISTE AVEC DU SEL. UNE DE MES FONTES EN EST PLEINE...
OK! SIR!
PEU APRÈS.
C'EST LUI !.. KELLY ! MILLE PUTOIS, MIKE A VU JUSTE !.. L'ODEUR DE L'OR L'A TIRÉ HORS DE SON TERRIER... RESTE À SAVOIR QUEL COUP FOURRÉ IL A MANIGANCÉ...
JUSTEMENT, PENDANT QUE TU FILES À "BAD WATER HOLE" MOI, JE RESTE PLANQUÉ ICI UN BOUT DE TEMPS À SURVEILLER LES ARRIÈRES DE CE RAT !
MAIS, DANS LA PLAINE, À L'ORÉE D'UN AUTRE BOSQUET, D'AUTRES YEUX ÉPIENT LA SORTIE DE KELLY...
C'EST BIEN NOTRE HOMME !.. SEUL ET EN CIVIL !.. OÙ DIABLE VA-T-IL AINSI À UNE HEURE PAREILLE ? HAYDEN ! GALOPE CHERCHER LES AUTRES ET SUIVEZ MA PISTE !
GIR

BIZARRE ! PAS D'ESCORTE ! MAIS IL A L'AIR SACRÉMENT SUR SES GARDES
VA FALLOIR GARDER LES DISTANCES SI JE VEUX PAS ME FAIRE REPÉRER...
BLAKE A PU ENFIN SE LANCER SUR LA PISTE DE KELLY.
... MAIS DU HAUT DES COLLINES, IL A ÉTÉ REPÉRÉ PAR UN AUTRE GUETTEUR VIGILANT...
TIENS TIENS, KELLY A UN SUIVEUR, ON DIRAIT...
... ET QUI BALISE SOIGNEUSEMENT SA PISTE !...
... SÛREMENT POUR GUIDER LES GARDES DU CORPS DE KELLY !...
HÉHÉ ! JE VAIS LES LANCER SUR UNE PISTE À MA FAÇON !
LE SOLEIL EST DÉJÀ HAUT QUAND KELLY, TOUJOURS AUX AGUETS, A ATTEINT "BAD WATER HOLE"
HELL ! L'ENDROIT IDÉAL POUR UN GUET-APENS...
ET LÀ-BAS, PRÈS DE L'EAU, JE VAIS FAIRE UNE CIBLE IDÉALE ! BAH ! ON AURAIT PU DÉJÀ ME TIRER DESSUS DIX FOIS ! IL FAUT QUE JE PRENNE ENCORE CE RISQUE.
PERSONNE EN VUE ! MON INFORMATEUR DOIT M'ÉPIER, TERRÉ QUELQUE PART POUR S'ASSURER QUE JE SUIS BIEN SEUL...
BLAST IT ! IL S'EST QUAND MÊME DÉCIDÉ À MORDRE À L'HAMEÇON ! MIKE AVAIT RAISON ! LA CUPIDITÉ DE CE RAT EST PLUS FORTE QUE SA PEUR
HEY ! ÇA Y EST ! IL A VU LE MESSAGE !...
KELLY JE T'ATENT A FLAT GULCH IMÉDIATEMENT ET SEUL !!
HÉHÉÉ... L'AFFAIRE EST BIEN TELLE QUE JE L'ESPÉRAIS ! ET CE CRÉTIN S'IMAGINE AVOIR CONJURÉ TOUT DANGER AVEC SA RUSE IDIOTE... HA HA HA HA HA !
GIR

CE "SUCKER" DOIT ÊTRE EN TRAIN DE M'ÉPIER D'UNE CACHE QUELCONQUE... IL ATTEND QUE JE SOIS SUFFISAMMENT ÉLOIGNÉ POUR FAIRE DISPARAÎTRE LE MESSAGE !
ENSUITE, SÛR D'AVOIR COUPÉ LA PISTE, IL VA FILER JUSQU'AU LIEU DE RENDEZ-VOUS HÉ ! HÉ ! HÉ !..
CEPENDANT, AUX ABORDS DU PÉNITENCIER, LE LIEUTENANT DE BLAKE A RAMENÉ SA BANDE, MAIS...
DAMN IT ! ON TOURNE EN ROND ! QU'EST-CE QUE BLAKE A FICHU AVEC SES REPÈRES ?
À MON AVIS, Y A UN SALOPARD QU'EST PASSÉ DERRIÈRE POUR NOUS JOUER CE TOUR DE COCHON !
AU MÊME INSTANT
MILLE PUTOIS, ÇA FAIT LA TROISIÈME TRAÎNÉE BLANCHE COMME CELLE-CI QUE JE REPÈRE...
DU... DU SEL ! CE PETIT FUTÉ DE KELLY BALISE SA PISTE AVEC DU SEL !!!
FAUDRAIT UNE BONNE PLUIE POUR FAIRE FONDRE CE... HEY ! ÇA ME DONNE UNE IDÉE...
HI HI HI !... MÊME PAS BESOIN DE DESCENDRE DE CHEVAL POUR FAIRE FONDRE LES REPÈRES DE CE DAMNÉ "LITTLE TOM" (*)
(*) LE PETIT POUCET AMÉRICAIN (!)
MAIS Mc CLURE NE SE DOUTE PAS QU'IL VIENT À SON TOUR D'ÊTRE PRIS EN CHASSE.
12
GIR

PLUS TARD
BLAST IT! PLUS D'EAU!.. J'VAIS ÊTRE OBLIGÉ DE SACRIFIER QUELQUES EXEMPLAIRES RARES DE MA BIBLIOTHÈQUE PERSONNELLE.
ENTRETEMPS, APRÈS DEUX HEURES DE CHEVAUCHÉE, KELLY A ATTEINT LA VILLE FANTÔME DE FLAT GULCH...
PERSONNE!.. HELL! J'ESPÈRE QU'Y N'Y A PAS DE NOUVEAU MESSAGE... TOUT ÇA PUE LE TRAQUENARD!.. DIEU MERCI, JOSHUA ET SA PATROUILLE NE DOIVENT PLUS ÊTRE BIEN LOIN...
DEPOT
MAIS, AU MÊME MOMENT, À BAD WATER HOLE...
CAPTAIN!.. NOUS AVONS FOUILLÉ TOUT LE POURTOUR DU TROU D'EAU... QU'ON ME PENDE MAIS Y A PAS L'OMBRE D'UN MESSAGE!
ET ÇA FAIT UNE HEURE QUE LES HOMMES BATTENT LES ALENTOURS... RIEN... PAS LA MOINDRE TRACE DE SEL!
BLOODY HELL!.. NOUS AVONS PERDU LA TRACE DU COLONEL!
CEPENDANT
TU ES ARRIVÉ KELLY! DESCENDS DE CHEVAL ET JETTE TA PÉTOIRE!
!?
RETIRE TES VÊTEMENTS QUE JE VOIE TON ARSENAL!
AINSI, C'EST TOI QUI DOIS ME LIVRER BLUEBERRY? MONTRE-TOI! QUI ES-TU?
HÉHÉ!.. SACRÉ KELLY!.. FAIS PLUTÔT CE QUE JE T'AI DEMANDÉ
ET... ET BLUEBERRY... OÙ EST BLUEBERRY?
T'INQUIÈTE PAS POUR LUI, KELLY... IL N'EST PAS LOIN!
BLUEBERRY!
O.K.!.. JE N'AI PLUS D'ARME SUR MOI!..
EH OUI KELLY... TU VOIS, JE TIENS MES PROMESSES... JE T'AVAIS PROMIS QU'ON SE RETROUVERAIT... SOUVIENS-TOI!
TU... TU VAS ME TUER?
ÇA, L'AMI... ÇA DÉPENDRA DE TOI!.. MAIS D'ABORD TOURNE-TOI UN PEU... À VOIR TON AIR "FAUX JETON" JE SENS QUE TU CACHES QUELQUE CHOSE DANS TON DOS!

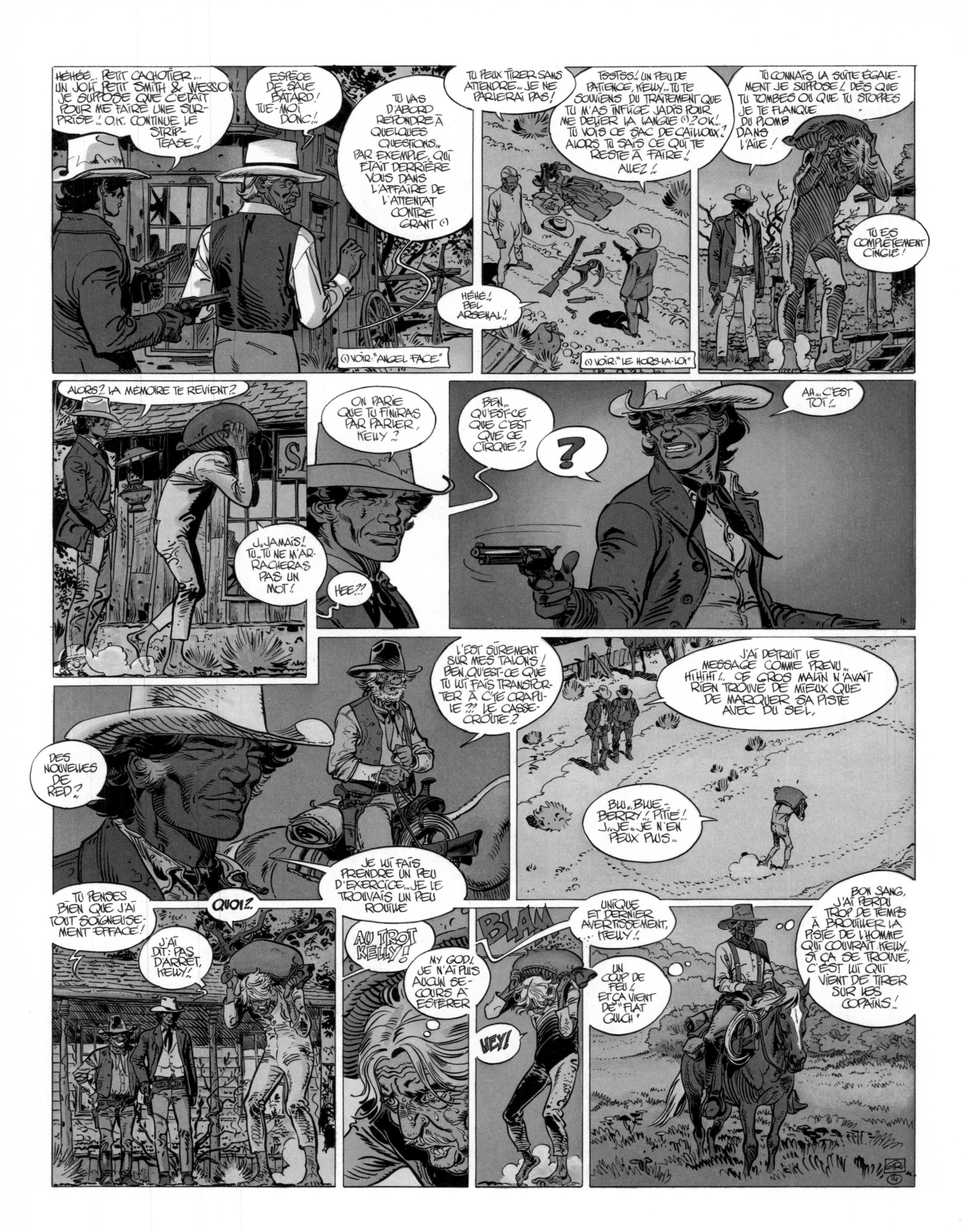
HÉHÉÉ... PETIT CACHOTIER... UN JOLI PETIT SMITH & WESSON!.. JE SUPPOSE QUE C'ÉTAIT POUR ME FAIRE UNE SURPRISE!.. O.K. CONTINUE LE STRIP-TEASE!..
ESPÈCE DE SALE BÂTARD! TUE-MOI DONC!..
TU VAS D'ABORD RÉPONDRE À QUELQUES QUESTIONS... PAR EXEMPLE, QUI ÉTAIT DERRIÈRE VOUS DANS L'AFFAIRE DE L'ATTENTAT CONTRE GRANT (1)
(1) VOIR: "ANGEL FACE"
TU PEUX TIRER SANS ATTENDRE... JE NE PARLERAI PAS!
TSSTSS!.. UN PEU DE PATIENCE, KELLY... TU TE SOUVIENS DU TRAITEMENT QUE TU M'AS INFLIGÉ JADIS POUR ME DÉLIER LA LANGUE (1)? O.K.!.. TU VOIS CE SAC DE CAILLOUX? ALORS TU SAIS CE QUI TE RESTE À FAIRE! ALLEZ!..
HÉHÉ!.. BEL ARSENAL!..
(1) VOIR: "LE HORS-LA-LOI"
TU CONNAIS LA SUITE ÉGALEMENT JE SUPPOSE!.. DÈS QUE TU TOMBES OU QUE TU STOPPES JE TE FLANQUE DU PLOMB DANS L'AILE!
TU ES COMPLÈTEMENT CINGLÉ!
ALORS? LA MÉMOIRE TE REVIENT?..
J... JAMAIS!.. TU... TU NE M'ARRACHERAS PAS UN MOT!
ON PARIE QUE TU FINIRAS PAR PARLER, KELLY?..
HEE?!
BEN... QU'EST-CE QUE C'EST QUE CE CIRQUE?..
?
AH... C'EST TOI!..
DES NOUVELLES DE RED?..
C'EST SÛREMENT SUR MES TALONS! BEN, QU'EST-CE QUE TU LUI FAIS TRANSPORTER À C'TE CRAPULE?!! LE CASSE-CROÛTE?
JE LUI FAIS PRENDRE UN PEU D'EXERCICE... JE LE TROUVAIS UN PEU ROUILLÉ
J'AI DÉTRUIT LE MESSAGE COMME PRÉVU... HIHIHI!.. CE GROS MALIN N'AVAIT RIEN TROUVÉ DE MIEUX QUE DE MARQUER SA PISTE AVEC DU SEL,
BLU... BLUE-BERRY!.. PITIÉ! J... JE... JE N'EN PEUX PLUS...
TU PENSES BIEN QUE J'AI TOUT SOIGNEUSEMENT EFFACÉ!
QUOI?..
J'AI DIT: PAS D'ARRÊT, KELLY!..
AU TROT KELLY!
MY GOD!.. JE N'AI PLUS AUCUN SECOURS À ESPÉRER
BLAM
UNIQUE ET DERNIER AVERTISSEMENT, KELLY!..
HEY!
UN COUP DE FEU!.. ET ÇA VIENT DE "FLAT GULCH"
BON SANG, J'AI PERDU TROP DE TEMPS À BROUILLER LA PISTE DE L'HOMME QUI COUVRAIT KELLY!.. SI ÇA SE TROUVE, C'EST LUI QUI VIENT DE TIRER SUR LES COPAINS!..

HEU!.. IMPOSSIBLE D'APPROCHER PLUS PRÈS SANS ME FAIRE REPÉRER... ET L'AUVENT DU SALOON ME CACHE BLUEBERRY!.. DAMN IT!
UN!
JE SUIS À BOUT! PITIÉ! GRÂCE! JE TE DONNERAI TOUT CE QUE TU VOUDRAS!
REPRENDS CE SAC, BASTARD!.. JE VAIS COMPTER JUSQU'À TROIS!.. O.K...!?
QUE POURRAIS-TU ME DONNER!.. PAR TA FAUTE, JE SUIS UN PARIA QUE TOUT BON AMÉRICAIN SERAIT TOUT FIER D'ABATTRE... SURTOUT AVEC LES 10 000 DOLLARS EN PRIME!.. DEUX!
...PAR TA FAUTE JE SUIS AU FOND D'UN TROU SANS ISSUE! NON, KELLY!.. TU NE PEUX RIEN POUR MOI!.. TROIS!
ATTENDS!
MILLE PUTOIS!.. Y AURAIT UN NOUVEAU COMPLOT CONTRE GRANT?!
ÉPARGNE-MOI!.. JE... JE PEUX TE FOURNIR LE MOYEN D'OBTENIR TA GRÂCE... EN... EN SAUVANT LA VIE DU... DU PRÉSIDENT!..
BON SANG, CE PORC DE KELLY EST EN TRAIN DE SE DÉGONFLER!
QUOI?!
OUAIS! "ILS" N'ONT PAS RENONCÉ! ET GRANT, AUJOURD'HUI, A TOUTES CHANCES D'ÊTRE RÉÉLU! NOUS... HEU... "ILS" VEULENT EMPÊCHER ÇA À TOUT PRIX!
GIR 15A
SOB!
C'EST LA VÉRITÉ!
JE JURE SUR TOUT CE QUE J'AI DE PLUS SACRÉ QUE JE DIS LA VÉRITÉ!.. AU... AU COURS DE SA CAMPAGNE ÉLECTORALE, GRANT VA TRAVERSER LE PAYS D'EST EN OUEST JUSQU'À SAN FRANCISCO!..
IL DOIT ÊTRE ASSASSINÉ AU PASSAGE DES ROCKIES... UNE RÉUNION SECRÈTE DE TOUS LES CONJURÉS À LAQUELLE JE DOIS PARTICIPER SE TIENDRA AU RANCH DELTA, PRÈS DE CHEYENNE, POUR FIXER LES DÉTAILS DE...
HEU!.. ÇA PARAÎT BIGREMENT CONVAINCANT?!
TSS, TSS! MÉFIE-TOI DE CE DAMNÉ SERPENT, FISTON!.. Y SERAIT BIEN CAPABLE D'INVENTER N'IMPORTE QUOI POUR SAUVER SA PEAU!..
OUAIS!.. PEUT-ÊTRE BIEN QUE TU AS RAISON, MAC!..
...DE L'ATTENTAT ET LE RÔLE DE... DE CHACUN!.. VOILÀ... C'EST LA VÉRITÉ!.. TOUTE LA...
O.K., O.K.!.. ET QUI EST LE CHEF DE CE COMPLOT?!
DAMN IT... ET LES AUTRES QUI NE RAPPLIQUENT TOUJOURS PAS!.. JE VAIS DEVOIR AGIR SEUL!..
TOUJOURS LE MÊME... C'EST...
GIR 15B

BAW!
GOSH!.. JE L'AI EU!.. ET JUSTE À TEMPS!..
HEY!.. J'AI BIEN ENVIE DE M'OCCUPER DES DEUX AUTRES DANS LA FOULÉE...
BAM!
?
DAMN IT!
HÉ L'AMI!.. SORS DE TON TROU LES BRAS EN L'AIR!..
UN TROISIÈME LASCAR!.. HEU!.. ÇA CHANGE TOUT!
TU ES CERNÉ!.. RENDS-TOI!..
C'EST LA VOIX DE RED!.. IL A DÛ TOMBER DANS LE DOS DU TIREUR!..
UN PEU TARD POUR KELLY... L'A PRIS LE PLOMB D'UNE OREILLE À L'AUTRE!..
OK. JIMMY!.. COUVRE-MOI!
PAW
PAW
PAW
PAW
MIKE
RED!
DAMN! L'OISEAU S'EST ENVOLÉ...
KELLY MORT?.. DAMN! MOI, JE PENSAIS QUE C'ÉTAIT VOUS QUI ÉTIEZ DANS SA LIGNE DE MIRE... C'EST POUR ÇA QUE J'AI TIRÉ AU JUGÉ!..
HÉ!.. REGARDE CES TACHES DE SANG!.. TU L'AS TOUCHÉ QUAND MÊME! DIEU SAIT OÙ IL SE CACHE DANS CES RUINES, À PRÉSENT...
HM... JE SUIS D'AVIS DE PAS TRAÎNER DANS LE COIN...
YUP!.. TANT PIS POUR LE CORPS DE KELLY!..
MILLE PUTOIS, T'AS RAISON MIKE... Y AURAIT PAS MIEUX POUR SERVIR DE CIBLE À L'AUTRE CROTALE!..
PLUS TARD
DES CHEVAUX!.. DANG IT!.. PEUT-ÊTRE MES GARS QUI RAPPLIQUENT!..

QUAND MÊME!... ÇA ME GÊNE DE LE LAISSER LÀ SANS L'ENTERRER!...
ÇA FERA JAMAIS QU'UN FANTÔME DE PLUS À RÔDER DANS CES RUINES
L'ARMÉE DOIT ÊTRE À SA RECHERCHE!... LES SOLDATS S'EN CHARGERONT!...
DAMN IT!... ILS DÉCAMPENT!... L'ENFER M'ÉTOUFFE D'AVOIR LÂCHÉ MA WINCH EN FUYANT!...
HELL! ILS ONT LAISSÉ CETTE CRAPULE DE KELLY AUX CHAROGNARDS!...
HEY! ÇA ME DONNE UNE FAMEUSE IDÉE!... HÉHÉHÉ!...
ET VOILÀ!... UN NOUVEAU MEURTRE SIGNÉ BLUEBERRY!...
À MON TOUR DE FILER!... BON SANG! CE BÂTARD M'A À MOITIÉ DÉMOLI L'ÉPAULE!...
GIR 17A
CEPENDANT
KELLY M'A TOUT L'AIR D'AVOIR ÉTÉ UN CONJURÉ IMPORTANT!...
...MAIS PEU SÛR! À PREUVE... IL ÉTAIT SURVEILLÉ DE PRÈS PAR UN "ANGE GARDIEN" CHARGÉ, AU BESOIN, DE LE FAIRE TAIRE!...
CE SOIR-LÀ, QUELQUE PART AU KENTUCKY
QUOI? TU VEUX ALLER FOUINER AUTOUR DU RANCH DELTA? C'EST DU SUICIDE!... L'ASSASSIN DE KELLY VA Y DONNER L'ALERTE!...
MILLE MILLIONS DE PUTOIS, QU'EST-CE QUE T'ATTENDS POUR DÉNONCER TOUTE LA BANDE AU "SECRET SERVICE" (1)
QUELLES PREUVES AVONS-NOUS? RIEN! NOUS NE SAVONS MÊME PAS AVEC EXACTITUDE OÙ, QUAND, COMMENT, ET PAR QUI DOIT ÊTRE ASSASSINÉ LE PRÉSIDENT!...
(1) SERVICE DE PROTECTION DU PRÉSIDENT
LE LENDEMAIN, L'UNE DES PATROUILLES QUI, DEPUIS LA VEILLE, BATTENT LA RÉGION DE FRANCISVILLE À LA RECHERCHE DE KELLY, VIENT DE PÉNÉTRER DANS FLAT GULCH!...
SALOON BLACK SPOTS
BEER
LE COLONEL KELLY! LES BUSARDS L'ONT BIEN ARRANGÉ, MAIS JE LE RECONNAIS!... C'EST BIEN LUI!...
SERGENT!... LÀ! ÉPINGLÉ À LA BRANCHE!... UN... UN PAPIER!...
GIR 17B

!?
MY GOD!...
... CE... CE TYPE EST CINGLÉ!
Je réglerai mes comptes jusqu'au dernier
sans pitié!
après Kelly, McPherson et bientôt ce porc de
Grant!!...
rien ne m'empêchera d'av
sa PEAU!!!
Blueberry
PLUSIEURS JOURS ONT PASSÉ, ET, CE SOIR-LÀ À LA PLANTATION DU CHEF DES CONJURÉS...
SALUT CLYDE! HI CARTER! POURQUOI CETTE RÉUNION? QUELQUE CHOSE QUI VA DE TRAVERS?
TU N'ES PAS AU COURANT? KELLY A RÉVÉLÉ TOUTE L'AFFAIRE À BLUEBERRY! LE RISQUE EST DEVENU TROP GRAND!
DAMN IT! J'AI TOUJOURS DIT QUE CE KELLY ÉTAIT UNE BRANCHE POURRIE!
...ET BLUEBERRY?! RISQUE-T-IL DE NOUS DÉNONCER À DODGE OU AU SECRET SERVICE?!
ÇA NE FAIT AUCUN DOUTE!.. MOI, JE..!
DÉNONCER QUOI, GENTLEMEN !?!?
IL N'Y A RIEN À DÉNONCER! J'AI ABATTU CE COUARD AVANT QU'IL AIT EU LE TEMPS DE DONNER UN SEUL NOM! SAUF CELUI DU RANCH DELTA! MAIS PAS DE PANIQUE GENTLEMEN!
BLAKE!
PAS DE PANIQUE!.. MH! FACILE À DIRE BLAKE!
IL FAUT DIRE QUE J'AI EU UNE IDÉE... QU'ON POURRAIT QUALIFIER DE... HM... GÉNIALE! MAIS, ENTRONS DANS LA MAISON ET PARLONS TRANQUILLEMENT...
ALORS!? CETTE IDÉE GÉNIALE?
J'AI TOUT SIMPLEMENT "SIGNÉ" LE CADAVRE DE KELLY... AVEC LE NOM DE BLUEBERRY, LE TOUT ENROBÉ D'UN JOLI CHAPELET DE MENACES!
PAS MAL EN EFFET!.. SI ÇA MARCHE, ÇA ÔTERA TOUTE CRÉDIBILITÉ À BLUEBERRY DANS SES ACCUSATIONS CONTRE NOUS...
MAIS... ÇA A MARCHÉ, BANCROFT! GENTLEMEN! JETEZ DONC UN COUP D'ŒIL SUR LA PRESSE DU PAYS... INSTRUISEZ-VOUS UN PEU!..
HÉ! HÉ! PAS MAL! BELLE UNANIMITÉ! JE NE DONNE PAS CHER DE LA PEAU DE BLUEBERRY!
BRAVO, BLAKE! TU N'AS PAS EXAGÉRÉ! C'ÉTAIT BIEN UN COUP DE GÉNIE!
NOUS N'AVONS PLUS GRAND-CHOSE À CRAINDRE DE CE CHIEN, À PRÉSENT! TOUTES LES FORCES DE POLICE DU PAYS ONT ORDRE DE L'ABATTRE À VUE SANS SOMMATION...
STILL ALIVE EX-LEUTNANT M.S. BLUEBERRY
EL PASO
KILLER BLUEBERRY THREATENS THE PRESIDENT GRANT
THE BALTIMORE SENTINELE
INJURIOUS DEE
OUTLAW BLUEBERR CLAIMS HE WILL MURDE THE PRESIDENT GR
THE FIRST VICTIM IN THE MAD AND BLOODY BLUEBERRY'S RAID OF RETALION
NEW YOR
D'AILLEURS, GRANT N'A RIEN CHANGÉ À SON PROGRAMME ET ROULE DÉJÀ VERS L'OUEST... IL ATTEINDRA CHEYENNE ET ENTAMERA LA TRAVERSÉE DES "ROCKIES" DANS DIX JOURS...
PARFAIT! LE COUP RESTE DONC FIXÉ À LA DATE PRÉVUE... OÙ EST LE BOSS? DÉJÀ PARTI?
YUP! IL A PRIS LA ROUTE POUR LE RANCH DELTA CE MATIN-MÊME! NOUS DEVONS L'Y REJOINDRE LE PLUS TÔT POSSIBLE!
ET BLUEBERRY!? IL CONNAÎT CET ENDROIT MAINTENANT!
ÇA! SÛR QU'IL VA ESSAYER DE SE POINTER LÀ-BAS POUR JOUER LES TROUBLE-FÊTES! OK! NOUS ALLONS LUI PRÉPARER UN PETIT COMITÉ D'ACCUEIL!

BLAKE A RAISONNÉ JUSTE !.. SEPT JOURS PLUS TARD, AU COEUR DES MONTAGNES ROCHEUSES...
PUTOIS DE PUTOIS !.. CETTE CARTE EST BOURRÉE D'ERREURS !.. ON VA TOURNER LONGTEMPS EN ROND DANS CE LABYRINTHE DE VALLÉES !?
N'EMPÊCHE !.. C'EST LE REPÈRE IDÉAL !.. TROIS JOURS QU'ON N'A PAS VU ÂME QUI VIVE !..
...ET... SEULEMENT À UNE JOURNÉE DE CHEVAL DE LA VOIE DU TRANSCONTINENTAL QUI TRANSPORTE LE PRÉS... HEY !..
?
ON DIRAIT QUE NOUS TOUCHONS AU BUT !..
RANCH △ DELTA
PRIVATE PROPERTY
NO TRESPASSING
KEEP OUT
LA VALLÉE S'ÉLARGIT AU-DELÀ DE LA PASSE !..
LE RANCH DOIT ÊTRE AU BOUT !..
OUAIS... MAIS PAS D'AUTRE ACCÈS QUE CE GOULET... ET IL EST SÛREMENT GARDÉ !
L'ASSASSIN DE KELLY A EU MILLE FOIS LE TEMPS D'ALERTER SES COMPLICES !.. NOUS ATTENDRONS LA NUIT POUR TENTER DE PASSER SANS NOUS FAIRE REPÉRER !..
GAMIN !.. FAUT ÊTRE COMPLÈTEMENT FONDU POUR ALLER SE JETER COMME ÇA DANS LA GUEULE DU LOUP... QUE DIABLE ESPÈRES-TU, EN FIN DE COMPTE ?..
CE QUE NOUS AVONS RÉUSSI AVEC VIGO(1)... DÉMASQUER LES TÊTES DU COMPLOT CONTRE GRANT... TROUVER LES PREUVES DE LEUR CRIME, CAPTURER LEUR CHEF ET LUI ARRACHER SES AVEUX SIGNÉS !..
RIEN QUE ÇA !!! ET... SI C'EST TOI QUI ES PRIS ??..
(1) LIRE : LA DERNIÈRE CARTE...
GIR.
CES COYOTES NE ME LIQUIDERONT QU'APRÈS M'AVOIR FAIT CRACHER TOUT CE QUE JE SAIS SUR EUX !.. UN MAUVAIS MOMENT EN PERSPECTIVE, MAIS C'EST SUR CE RÉPIT QUE JE COMPTE... VOICI COMMENT...
PLUS TARD
MINUIT !.. ON Y VA !..
NUIT SANS LUNE... LA CHANCE EST AVEC NOUS
POUR LIMITER LES RISQUES, JE PASSERAI LE PREMIER... SUIVEZ-MOI DANS DIX MINUTES ET PROGRESSEZ DANS L'EAU LE PLUS LONGTEMPS POSSIBLE !.. RENDEZ-VOUS COMME CONVENU EN VUE DU RANCH !
O.K... SINON, RENDEZ-VOUS DANS L'AUTRE MONDE !
BLUEBERRY S'ENGAGE DANS L'ÉTROIT GOULET CONSTITUANT L'UNIQUE ACCÈS À LA VALLÉE QUI MÈNE AU FAMEUX RANCH DELTA !..
△
SI DES VEILLEURS SURVEILLENT LA PASSE, LEUR SEULE PLANQUE POSSIBLE EST AU SOMMET DE CES PAROIS !
ET DANS CE NOIR, JE SUIS INVISIBLE DE LÀ-HAUT !..
MAIS L'OBSCURITÉ CACHE AUSSI AU CAVALIER LA MINCE CORDELETTE QUI BARRE LE TORRENT À UN PIED SOUS LA SURFACE DE L'EAU...
...PUIS COURT EN TRAVERS DE LA GORGE SOUS LES HERBES, MAINTENUE AU SOL PAR DE FINS ARCEAUX JUSQU'À LA...
...FALAISE AU SOMMET DE LAQUELLE ELLE GRIMPE, COULISSANT DANS DES ÉTRIERS ET Y ACTIONNANT, TOUT AU SOMMET...
...UN RUDIMENTAIRE SYSTÈME D'ALARME SOUS LA MOINDRE TRACTION DE TOUT INTRUS REMONTANT LE GAVE...
!?
BIDONG !...
GADING !...

BAH !.. ENCORE UN OURS QUI PREND SON BAIN !..
ON VA BIEN VOIR !.. JOË !.. BALANCE UNE DE CES FOUTUES FUSÉES
JE PARIE QUE C'EST CE BLUEBERRY
LÀ !.. UN CAVALIER !..
PSHHH
?!
??
UNE FUSÉE ÉCLAIRANTE !.. MILLE PUTOIS !..
LE GAMIN S'EST FAIT REPÉRER
_ILS VONT ME TIRER COMME UN LAPIN !.. PLUS LA PEINE DE FINASSER, FAUT QUE JE SORTE DE CETTE NASSE !..
AU PLUS VITE !..
C'EST LUI !.. J'AVAIS RAISON !.. QU'EST-CE QUE JE FAIS ?..JE L'AI AU BOUT DE MON...
NON !.. LES ORDRES SONT DE LE LAISSER PASSER !..
JE FONCE AU RANCH DONNER L'ALERTE !..
COMMENT M'ONT-ILS REPÉRÉ ?!.. GOSH !.. VA FALLOIR FORCER LE PASSAGE !.. DOIT Y AVOIR UN PIÈGE À LA SORTIE DU DÉFILÉ !..
BIZARRE ! PAS DE COUPS DE FEU !.. TON AVIS MAC ?..
MON AVIS, C'EST QU'IL FAUT Y ALLER !..
GIR. 20A
ON FAIT COMME A DIT MIKE !.. PROBABLE QU'IL VA AVOIR BESOIN D'UN P'TIT COUP DE POUCE !.. ET VITE !.. TOI, TU RESTES LÀ SI TU VEUX !..
BAH !.. TROP TARD POUR STOPPER CETTE FOLIE !..
ENTRETEMPS, À SA PROFONDE STUPEUR, BLUEBERRY FRANCHIT LE DÉFILÉ ET DÉBOUCHE DANS LA VALLÉE SANS ENCOMBRE...
MAINTENANT QU'"ILS" SAVENT QUE JE SUIS LÀ !.. ILS VEULENT SANS DOUTE M'AVOIR VIVANT !? O.K... C'EST TOUJOURS BON À SAVOIR !
QUELQUES INSTANTS PLUS TARD, McCLURE ET RED NECK S'ENGAGENT À LEUR TOUR VERS LA PASSE MENANT AU RANCH DELTA...
DE PLUS EN PLUS ÉTRANGE !..
...À MOINS QUE...
DIX MINUTES PLUS TARD, LE SYSTÈME D'ALARME AYANT ÉTÉ MIS À MAL PAR BLUEBERRY, SES DEUX COMPAGNONS ONT FRANCHI LA PASSE SANS DONNER L'ÉVEIL...
GIR. 20B

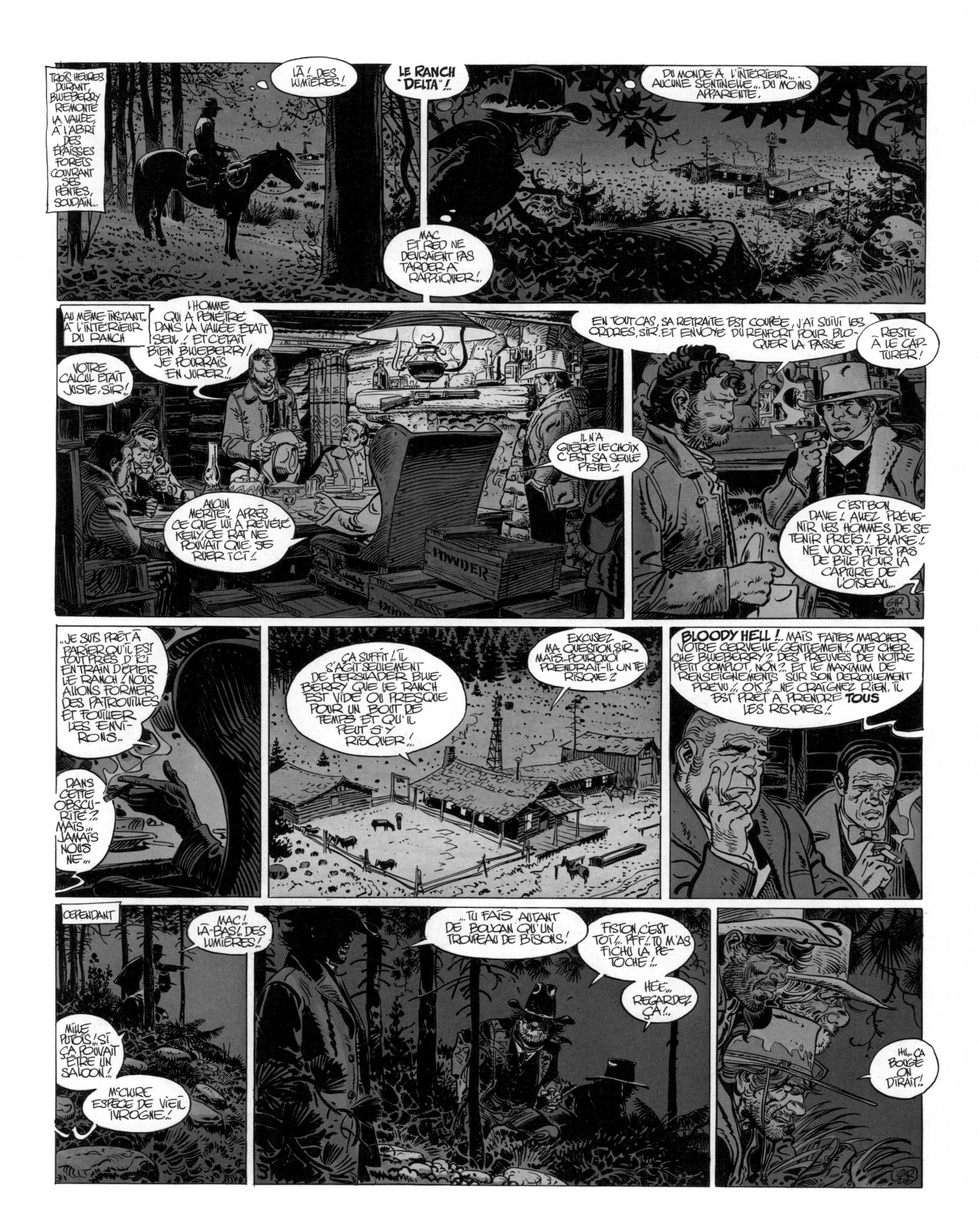
TROIS HEURES DURANT, BLUEBERRY REMONTE LA VALLÉE, À L'ABRI DES ÉPAISSES FORÊTS COUVRANT SES PENTES, SOUDAIN...
LÀ !.. DES LUMIÈRES !..
LE RANCH "DELTA" !..
MAC ET RED NE DEVRAIENT PAS TARDER À RAPPLIQUER !..
DU MONDE À L'INTÉRIEUR... AUCUNE SENTINELLE... DU MOINS APPARENTE.
AU MÊME INSTANT... À L'INTÉRIEUR DU RANCH
L'HOMME QUI A PÉNÉTRÉ DANS LA VALLÉE ÉTAIT SEUL ! ET C'ÉTAIT BIEN BLUEBERRY ! JE POURRAIS EN JURER !..
VOTRE CALCUL ÉTAIT JUSTE, SIR !
AUCUN MÉRITE ! APRÈS CE QUE LUI A RÉVÉLÉ KELLY, CE RAT NE POUVAIT QUE SE RUER ICI !..
IL N'A GUÈRE LE CHOIX C'EST SA SEULE PISTE !..
EN TOUT CAS, SA RETRAITE EST COUPÉE, J'AI SUIVI LES ORDRES, SIR. ET ENVOYÉ DU RENFORT POUR BLOQUER LA PASSE
... RESTE À LE CAPTURER !
C'EST BON DAVE !.. ALLEZ PRÉVENIR LES HOMMES DE SE TENIR PRÊTS !.. BLAKE !.. NE VOUS FAITES PAS DE BILE POUR LA CAPTURE DE L'OISEAU...
GIR 21A
... JE SUIS PRÊT À PARIER QU'IL EST TOUT PRÈS D'ICI EN TRAIN D'ÉPIER LE RANCH !.. NOUS ALLONS FORMER DES PATROUILLES ET FOUILLER LES ENVIRONS...
DANS CETTE OBSCURITÉ ?.. MAIS... JAMAIS NOUS NE...
ÇA SUFFIT !.. IL S'AGIT SEULEMENT DE PERSUADER BLUEBERRY QUE LE RANCH EST VIDE OU PRESQUE POUR UN BOUT DE TEMPS ET QU'IL PEUT S'Y RISQUER !..
EXCUSEZ MA QUESTION, SIR... MAIS... POURQUOI PRENDRAIT-IL UN TEL RISQUE ?
BLOODY HELL !.. MAIS FAITES MARCHER VOTRE CERVELLE, GENTLEMEN !.. QUE CHERCHE BLUEBERRY ? DES PREUVES DE NOTRE PETIT COMPLOT, NON ?.. ET LE MAXIMUM DE RENSEIGNEMENTS SUR SON DÉROULEMENT PRÉVU !.. OK ?.. NE CRAIGNEZ RIEN. IL EST PRÊT À PRENDRE TOUS LES RISQUES !
CEPENDANT
MAC !.. LÀ-BAS !.. DES LUMIÈRES !..
MILLE PUTOIS !.. SI ÇA POUVAIT ÊTRE UN SALOON !..
McCLURE ESPÈCE DE VIEIL IVROGNE !..
... TU FAIS AUTANT DE BOUCAN QU'UN TROUPEAU DE BISONS !
FISTON, C'EST TOI !.. PFF !.. TU M'AS FICHU LA PETOCHE !..
HÉE... REGARDEZ ÇA !..
HU... ÇA BOUGE ON DIRAIT !..
GIR 21B

!!!
HÉÉÉ !.. C'EST BON ÇA !.. ILS CROIENT QUE T'ES SEUL !..
HEU !.. LA VOIX DE LEUR CHEF ! JE LA CONNAIS !.. ÇA VOUS DIT QUELQUE-CHOSE À VOUS ?..
BAH !.. DES GRANDES GUEULES DE CE GENRE... C'EST PAS CE QUI MANQUE !..
NOUS PATROUILLERONS PAR GROUPES DE CINQ !.. ET PAS QUESTION DE RENTRER SANS CE PUTOIS DE BLUEBERRY !.. ET RAPPELEZ-VOUS : JE LE VEUX VIVANT !..
IL EST SEUL MAIS DANGEREUX ! LES PREMIERS QUI REPÈRENT UNE PISTE TIRENT UNE FOIS POUR RAMEUTER LES AUTRES !..
REPÉRER QUEQ'CHOSE DANS CE NOIR ? FAUDRA UNE FOUTUE VEINE !
NOUS RATISSERONS D'ABORD LA VALLÉE ET NOUS REVIENDRONS EN FOUILLANT LES PENTES !.. BONNE CHASSE GENTLEMEN !
GIR 27A
O.K. ! LA CHANCE EST POUR NOUS ! ILS IGNORENT NOTRE PRÉSENCE ICI, ET N'EXPLORERONT PAS CES PENTES AVANT L'AUBE !..
UN RÉPIT QUE JE VAIS METTRE À PROFIT POUR EXPLORER CETTE BARAQUE !..
QUOI ??
FISTON !.. T'ES CINGLÉ !..
... ILS N'ONT LAISSÉ QUE DEUX OU TROIS HOMMES DE GARDE ! ÇA VA ÊTRE DU GÂTEAU !..
MIKE J'AIME PAS ÇA !!!
PAS D'AUTRE CHOIX... MAIS J'AI L'AVANTAGE DE LA SURPRISE !..
ET SI C'ÉTAIT UN PIÈGE !?
ON VIENT AVEC TOI !..
RAISON DE PLUS POUR NE PAS Y TOMBER TOUS LES TROIS... LIBRES, VOUS POURREZ TENTER DE ME DÉLIVRER !.. VOUS AVEZ ENTENDU ? ILS N'ONT PAS L'INTENTION DE ME TUER TOUT DE SUITE !..
HEU !..
IL Y A SÛREMENT UNE SENTINELLE EMBUSQUÉE À L'EXTÉRIEUR !..
OUAIP ! LE PROBLÈME VA ÊTRE DE LA REPÉRER ET DE LA NEUTRALISER SANS TE FAIRE REPÉRER PAR LES AUTRES !..
PLUS TARD
HEY !.. V'LÀ QUELQU'UN ??
GIR 28

BEN... OÙ QU'IL EST LE CAVALIER ?
QU'EST-CE QUE...?
HEY!!
UN... UN CHEVAL!
PAS UN GESTE, PAS UN MOT, L'AMI!.. OU JE TE TROUE LA TÊTE!..
PSSST!..
SHUT UP! COMBIEN D'HOMMES VEILLENT DANS LA BARAQUE?!
T'AS DIX SECONDES!..
DAMN IT! Z'ÊTES LE TYPE QUI...
HEU!.. DEUX!.. DANS LA GRANDE SALLE!..
PEU APRÈS
TOK TOK
DIS DONC, C'EST PAS ENCORE L'HEURE DE LA RELÈVE!..
C'EST MOI, ABE!..
OK, VA VOIR CE QU'IL VEUT,
HEY BURKE!.. QU'EST-CE QUE T'ATTENDS?
VOILÀ!..
OK, TU ENTRES, MAIS PAS POUR PLUS DE DIX M...
MAINS EN L'AIR! J'AI ASSEZ DE PLOMB POUR VOUS TROIS...
HH..
BLUEBERRY!.. LE TYPE QU'ON CHERCHE PARTOUT!.. DAMNED!
PLUS TARD
GOOD LORD! IL Y A LÀ DE QUOI FAIRE SAUTER UNE VILLE!..
MAIS CE N'EST PAS UN INDICE SUFFISANT!..
UN PEU DE PATIENCE, VOUS TROIS!.. JE N'AI PAS L'INTENTION DE M'ÉTERNISER ICI...
TIENS... ÇA, C'EST NETTEMENT PLUS INTÉRESSANT!..
ET CES AUTRES NOTES?..
UNE CARTE ANNOTÉE DU TRACÉ DU "TRANSCONTINENTAL"... VOYONS!.. LÀ!.. L'EMPLACEMENT DU DELTA RANCH. C'EST BIEN UNE CARTE DU COIN!..
HMPF
PASSIONNANT, HEIN?..
EXPLOSIVES

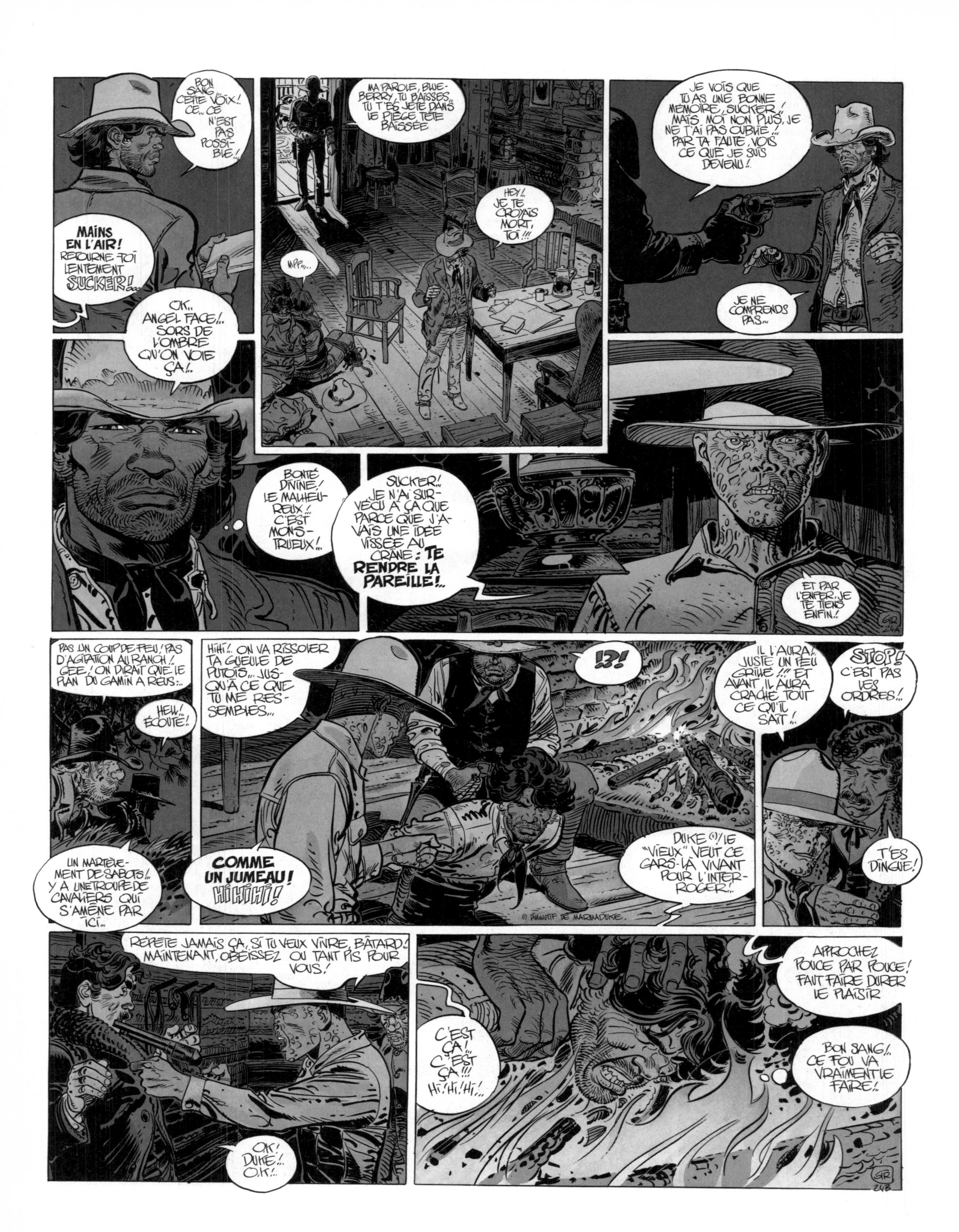
BON SANG CETTE VOIX !.. CE… CE N'EST PAS POSSIBLE !..
MAINS EN L'AIR ! RETOURNE-TOI LENTEMENT SUCKER !…
MA PAROLE, BLUEBERRY, TU BAISSES.. TU T'ES JETÉ DANS LE PIÈGE TÊTE BAISSÉE
MPF…
HEY !.. JE TE CROYAIS MORT, TOI !!!
JE VOIS QUE TU AS UNE BONNE MÉMOIRE, SUCKER ! MAIS, MOI NON PLUS, JE NE T'AI PAS OUBLIÉ !.. PAR TA FAUTE, VOIS CE QUE JE SUIS DEVENU !.
JE NE COMPRENDS PAS…
OK.. ANGEL FACE !.. SORS DE L'OMBRE QU'ON VOIE ÇA !..
BONTÉ DIVINE ! LE MALHEUREUX !.. C'EST MONSTRUEUX !..
SUCKER !.. JE N'AI SURVÉCU À ÇA QUE PARCE QUE J'AVAIS UNE IDÉE VISSÉE AU CRÂNE : TE RENDRE LA PAREILLE !..
ET PAR L'ENFER, JE TE TIENS ENFIN !
GIR 24A
PAS UN COUP DE FEU ! PAS D'AGITATION AU RANCH !. GEE ! ON DIRAIT QUE LE PLAN DU GAMIN A RÉUSSI…
HEW !.. ÉCOUTE !.
UN MARTÈLEMENT DE SABOTS !.. Y A UNE TROUPE DE CAVALIERS QUI S'AMÈNE PAR ICI…
HIHI !.. ON VA RISSOLER TA GUEULE DE PUTOIS… JUSQU'À CE QUE TU ME RESSEMBLES…
COMME UN JUMEAU ! HIHIHI !
!?!
DUKE (1) ! LE "VIEUX" VEUT CE GARS-LÀ VIVANT POUR L'INTERROGER !..
(1) DIMINUTIF DE MARMADUKE.
IL L'AURA ! JUSTE UN PEU GRILLÉ !!! ET AVANT IL AURA CRACHÉ TOUT CE QU'IL SAIT !.
STOP ! C'EST PAS LES ORDRES !..
T'ES DINGUE !
RÉPÈTE JAMAIS ÇA, SI TU VEUX VIVRE, BÂTARD ! MAINTENANT, OBÉISSEZ OU TANT PIS POUR VOUS !
OK ! DUKE !.. O.K !..
C'EST ÇA !.. C'EST ÇA !!! HI ! HI ! HI !..
APPROCHEZ POUCE PAR POUCE ! FAUT FAIRE DURER LE PLAISIR
BON SANG !.. CE FOU VA VRAIMENT LE FAIRE !..
GIR 24B

AU MÊME INSTANT À L'EXTÉRIEUR
BLOOD 'ND GUTS !.. UNE PATROUILLE !.. ILS NE S'ÉTAIENT PAS VRAIMENT ÉLOIGNÉS !.. C'ÉTAIT UNE FEINTE !..
MIKE VA SE FAIRE PIÉGER COMME UN RAT !.. FAUT FAIRE QUELQUE CHOSE POUR L'AVERTIR !.. VITE !..

ARRÊTE !
SI TU TIRES TU DÉVOILES NOTRE PRÉSENCE ET ON PERD TOUTE CHANCE DE POUVOIR AIDER MIKE !..

SALAUDS !.. NON !!!
HEY !.. CE TYPE EST COSTAUD COMME UN OURS !..
BON SANG, MAIS, TIENS LE !..
HI HI HI !.. POUR TOUT RENSEIGNEMENT INTÉRESSANT, T'AURAS DROIT À UNE MINUTE DE RÉPIT !..
ARRÊTE ÇA !.. ARRÊTE ÇA TOUT DE SUITE, DUKE

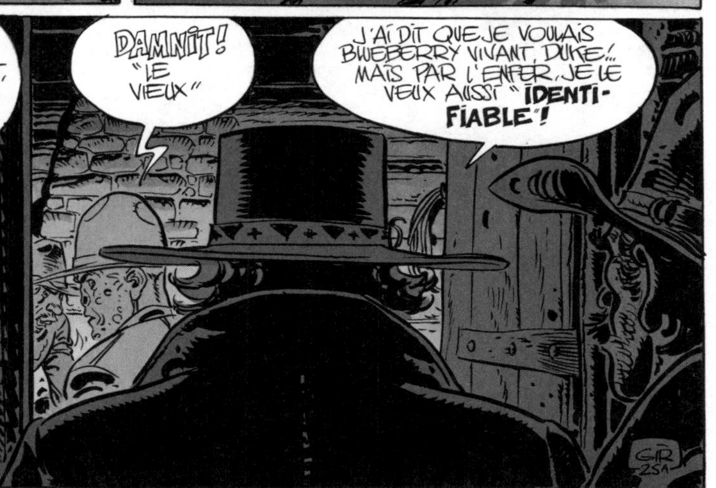
DAMNIT ! "LE VIEUX"
J'AI DIT QUE JE VOULAIS BLUEBERRY VIVANT, DUKE !.. MAIS PAR L'ENFER, JE LE VEUX AUSSI "IDENTIFIABLE" !

BURKE, ABE, SAM !.. ALLEZ M'ATTENDRE DEHORS AVEC LES AUTRES !.. DUKE MON GARÇON, TU RESTES ICI AVEC MOI !.. JE DOIS AVOIR UN PETIT ENTRETIEN AVEC CE BÂTARD !..
ENCORE CETTE VOIX !.. HEU.. QUI QU'IL SOIT, IL TOMBE À PIC !
YES SIR !

KEN ! ENVOIE LE SIGNAL CONVENU POUR RAPPELER LES AUTRES PATROUILLES !
FÉLICITATIONS POUR LE TRAQUENARD !.. C'ÉTAIT DU BEAU TRAVAIL !..

CONTINUE À REGARDER LE PLANCHER, SUCKER, ON T'A PAS DONNÉ LA PERMISSION DE REGARDER AUTRE CHOSE !..
HEY !.. C'EST JAMAIS QUE LE PATRON D'UNE BANDE DE COMPLOTEURS À LA NOIX !..

ESPÈCE DE...
LAISSE TOMBER DUKE !..
MON CHER BLUEBERRY, VOUS FAITES ERREUR ! JE SUIS LE CHEF SUPRÊME DES PATRIOTES, QUI S'APPRÊTENT À DÉLIVRER L'UNION DE GRANT ET DE SA CLIQUE DE POURRIS
VASTE PROGRAMME !.. ET JE SUPPOSE QUE MA MODESTE PERSONNE FAIT À NOUVEAU PARTIE DE VOTRE PLAN !..

EXACT !.. MAIS CETTE FOIS, CE SERA SOUS FORME DE CADAVRE !
ET C'EST MOI QUI T'EXÉCUTERAI CHAROGNE !..
HM.. SAGE PRÉCAUTION !

...HEU.. UN DÉTAIL ME TRACASSE, MISTER.. VOUS ÉTIEZ RESTÉ PRUDEMMENT À L'ÉCART LORS DU PREMIER ATTENTAT, POURTANT, JE SUIS SÛR QUE NOUS NOUS SOMMES DÉJÀ RENCONTRÉS !
HA HA ! ENCORE EXACT !!! ET BIEN AVANT CETTE AFFAIRE RATÉE ! DUKE, LAISSE DONC LE LIEUTENANT CONSTATER PAR LUI-MÊME !..

PAR TOUS LES DIABLES !

EH BIEN LIEUTENANT ?!. LA MÉMOIRE VOUS REVIENT-ELLE ?!
"TÊTE-JAUNE" LE GÉNÉRAL ALLISTER !..

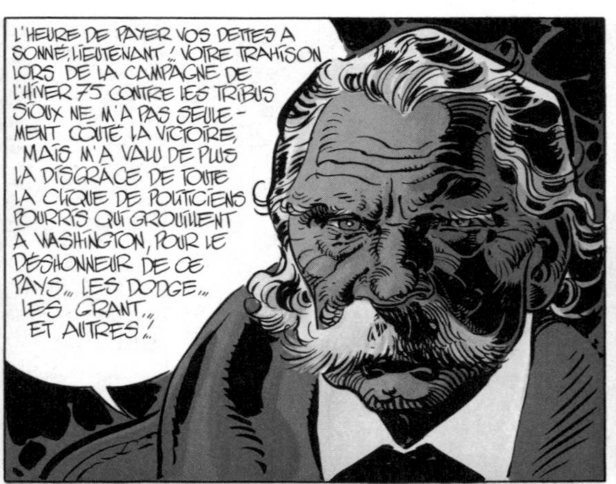
L'HEURE DE PAYER VOS DETTES A SONNÉ, LIEUTENANT !. VOTRE TRAHISON LORS DE LA CAMPAGNE DE L'HIVER 75 CONTRE LES TRIBUS SIOUX NE M'A PAS SEULEMENT COÛTÉ LA VICTOIRE, MAIS M'A VALU DE PLUS LA DISGRÂCE DE TOUTE LA CLIQUE DE POLITICIENS POURRIS QUI GROUILLENT À WASHINGTON, POUR LE DÉSHONNEUR DE CE PAYS... LES DODGE... LES GRANT... ET AUTRES !.

MAIS ALLISTER N'ABDIQUE JAMAIS !.. ALLISTER A JURÉ DE SE VENGER ! ET SA VENGEANCE SERA CELLE DE TOUT LE PEUPLE AMÉRICAIN !.
DAMN IT !.. UN AUTRE DÉMENT ! ET ENCORE PLUS DANGEREUX QUE L'AUTRE !.. ...

C'EST VOTRE CHUTE DANS L'AFFAIRE DU TRÉSOR DES CONFÉDÉRÉS QUI M'A FOURNI L'OCCASION INESPÉRÉE QUE J'ATTENDAIS DEPUIS DES MOIS... J'ALLAIS ENFIN POUVOIR ACCOMPLIR UNE DOUBLE VENGEANCE !.. UNE DOUBLE JUSTICE !..
...PLUS DANGEREUX ET AUSSI BAVARD !..

...EN VOUS UTILISANT COMME BOUC ÉMISSAIRE DANS UN COMPLOT CONTRE GRANT !.. HÉHÉHÉ !. J'AURAIS DÛ ME MÉFIER DE VOS SATANÉES RUSES DE RENARD !.. VOUS AVEZ TOUT FAIT ÉCHOUER !.. MA SEULE CONSOLATION A ÉTÉ VOTRE MISE HORS LA LOI ! BLUEBERRY HORS-LA-LOI !.. HAHA !. AMUSANT...
BON SANG !.. LANCÉ COMME IL EST JE VAIS AVOIR DROIT À TOUTE L'HISTOIRE...
GIR 26A

MAIS COMME JE VOUS L'AI DIT: "ALLISTER N'ABDIQUE JAMAIS !" JE SUIS REPARTI DE ZÉRO !.. J'AI ATTENDU LA NOUVELLE TOURNÉE ÉLECTORALE DE CE CHIEN DE GRANT... APRÈS TOUT CE TEMPS, MA VENGEANCE N'EN SERAIT QUE PLUS SAVOUREUSE !. ET AU MOMENT OÙ TOUT EST PRÊT... HÉHÉ... VOUS REPARAISSEZ ! DUKE, MON GARÇON !. INSTALLE DONC NOTRE AMI PLUS CONFORTABLEMENT...
SI JE POUVAIS LUI SOUTIRER QUELQUES RENSEIGNEMENTS !.. DAMN ! ON NE SAIT JAMAIS !.

HÉ OUI !.. VOUS REPARAISSEZ JUSTE À PIC POUR NOUS FOURNIR LE BOUC ÉMISSAIRE QUI NOUS MANQUAIT POUR DÉTOURNER DE NOUS TOUT SOUPÇON !..
C'EST UN HONNEUR POUR MOI SIR !.
ET TIENS-TOI TRANQUILLE, SUCKER !.
SHUT UP !.

CEPENDANT, RAPPELÉES PAR QUELQUES COUPS DE FEU, LES PATROUILLES QUI FOUILLAIENT LA VALLÉE REGAGNENT LE RANCH...
QU'EST-CE QU'Y S'PASSE ?! Z'AVEZ TROUVÉ UNE PISTE ?
HEY ! ON A TROUVÉ MIEUX !. LE GARS EST VENU DE LUI-MÊME SE JETER DANS LE PIÈGE DU VIEUX !..

MILLE PUTOIS, RED ! LE GAMIN S'EST FAIT PIQUER !.
IL L'A CHERCHÉ, NON ?! ET ME DEMANDE PAS DE ME SUICIDER EN ATTAQUANT À DEUX CETTE BANDE DE MALFRATS !.
GIR 26B

SACRÉ FOIE-BLANC !.. ON VA QUAND MÊME PAS ATTENDRE, ICI, LES BRAS CROISÉS PENDANT QUE LE GAMIN SE FAIT SAUVAGEMENT ÉGORGER !..
T'INQUIÈTE PAS POUR LA GORGE DE MIKE ! POUR L'INSTANT ELLE NE RISQUE RIEN ! ET ICI, NOUS, ON EST AU MOINS EN SÉCURITÉ !
CEPENDANT
ET QU'EST-CE QUE JE FAIS DANS CE PLAN GÉNIAL ET HEUREUSEMENT UTOPIQUE !?
... CAR DU FAIT DE MON RETOUR AU PAYS ET DE "MES" MENACES TROUVÉES SUR LE CORPS DE KELLY, LE "SECRET SERVICE" A DÛ RENFORCER LES MESURES DE SÉCURITÉ AUTOUR DU CONVOI DU PRÉSIDENT !..
BIEN VU LIEUTENANT !.. SON TRAIN EST EN EFFET ESCORTÉ PAR DEUX AUTRES... LE PREMIER À UN DEMI-MILE (1) DEVANT EN ÉCLAIREUR, L'AUTRE DERRIÈRE, À MÊME DISTANCE, EN PROTECTION. TOUS DEUX TRANSPORTENT DES TROUPES ET LA SUITE DE GRANT...
(1) ENVIRON 800 MÈTRES

... DE PLUS, LE MOINDRE PONT EST SOLIDEMENT GARDÉ PAR DES VIGILANTES ET DES VOLONTAIRES !

C'EST BIEN CE QUE JE DISAIS !.. VOTRE PLAN EST IRRÉALISABLE !.. ET CE NE SONT PAS LES CAISSES DE DYNAMITE DERRIÈRE VOTRE FAUTEUIL QUI Y CHANGERONT QUOI QUE CE SOIT !..
HA HA !.. C'EST LÀ QUE VOUS FAITES ERREUR, BLUEBERRY !.. J'AI BIEN L'INTENTION D'ÉCRASER COMME UNE PUNAISE LE TRAIN DU MILIEU... ET AVEC LUI, CE CHIEN DE GRANT ET LE VICE-PRÉSIDENT !

VOUS N'AVEZ PAS CHANGÉ D'UN IOTA DEPUIS LA CAMPAGNE CONTRE LES SIOUX, ALLISTER !.. NON SEULEMENT VOS PLANS SONT IGNOBLES MAIS ILS SONT EN PLUS VOUÉS À L'ÉCHEC CAR COMPLÈTEMENT IRRÉALISABLES !..
QUOI !?
DAMN ! BLUEBERRY VOUS N'ÊTES QU'UN SALE PETIT RAT PUANT !.. MAINTENANT ÉCOUTEZ BIEN CECI !..

PEU AVANT LA CRÊTE DES WYOMING RANGES, LA VOIE FRANCHIT LE TUNNEL DE ROCK PASS, LONG D'UN MILE ET DEMI, ET GARDÉ AUX DEUX BOUTS COMME DE BIEN ENTENDU !.. POURTANT... CE TUNNEL VA S'EFFONDRER SUR GRANT ET SA CLIQUE !.. AUSSI VRAI QUE JE M'APPELLE ALLISTER !..
VOUS RÊVEZ, GÉNÉRAL !

VOUS NE COMPTEZ TOUT DE MÊME PAS MINER CE FICHU TUNNEL SUR UN MILE ET DEMI !?
HA, HA, HAAA !!! VOILÀ !.. IL SE TROUVE, MON CHER LIEUTENANT QUE L'UN D'ENTRE NOUS A PARTICIPÉ AU PERCEMENT DE CE TUNNEL !.. UN BEL OUVRAGE, MAIS DONT LA VOÛTE EST FRAGILE !.. HA HA HA !!! TRÈS FRAGILE !!! QU'UNE CHARGE SUFFISANTE ÉCLATE EN UN POINT CRITIQUE BIEN PRÉCIS QUE LUI SEUL CONNAÎT ET...

... LE TUNNEL SE LÉZARDERA ET S'ÉCROULERA... DE PROCHE EN PROCHE, SUR TOUTE SA LONGUEUR EN MOINS DE DEUX MINUTES !..
HM !.. MOUAIS

FAUT QUAND MÊME UN SACRÉ BOUT DE TEMPS POUR MINER UNE VOÛTE, MÊME EN UN SEUL POINT !.. ET LES PATROUILLES, QU'EN FAITES-VOUS ?
HA ! HA ! HA ! CECI A ÉTÉ PRÉVU !.. COMME LE RESTE : MINUTIEUSEMENT.
HM... SIR !

NE CRAINS RIEN, DUKE ! JE N'AI PAS L'INTENTION DE DÉVOILER TOUS NOS SECRETS AU LIEUTENANT !.. BIEN QU'IL NE LUI RESTE QUE PEU DE TEMPS À VIVRE, IL EN SAIT BIEN ASSEZ !
SAUF SUR UN POINT, GÉNÉRAL !.. MOI... J'INTERVIENS OÙ DANS TOUT ÇA ?

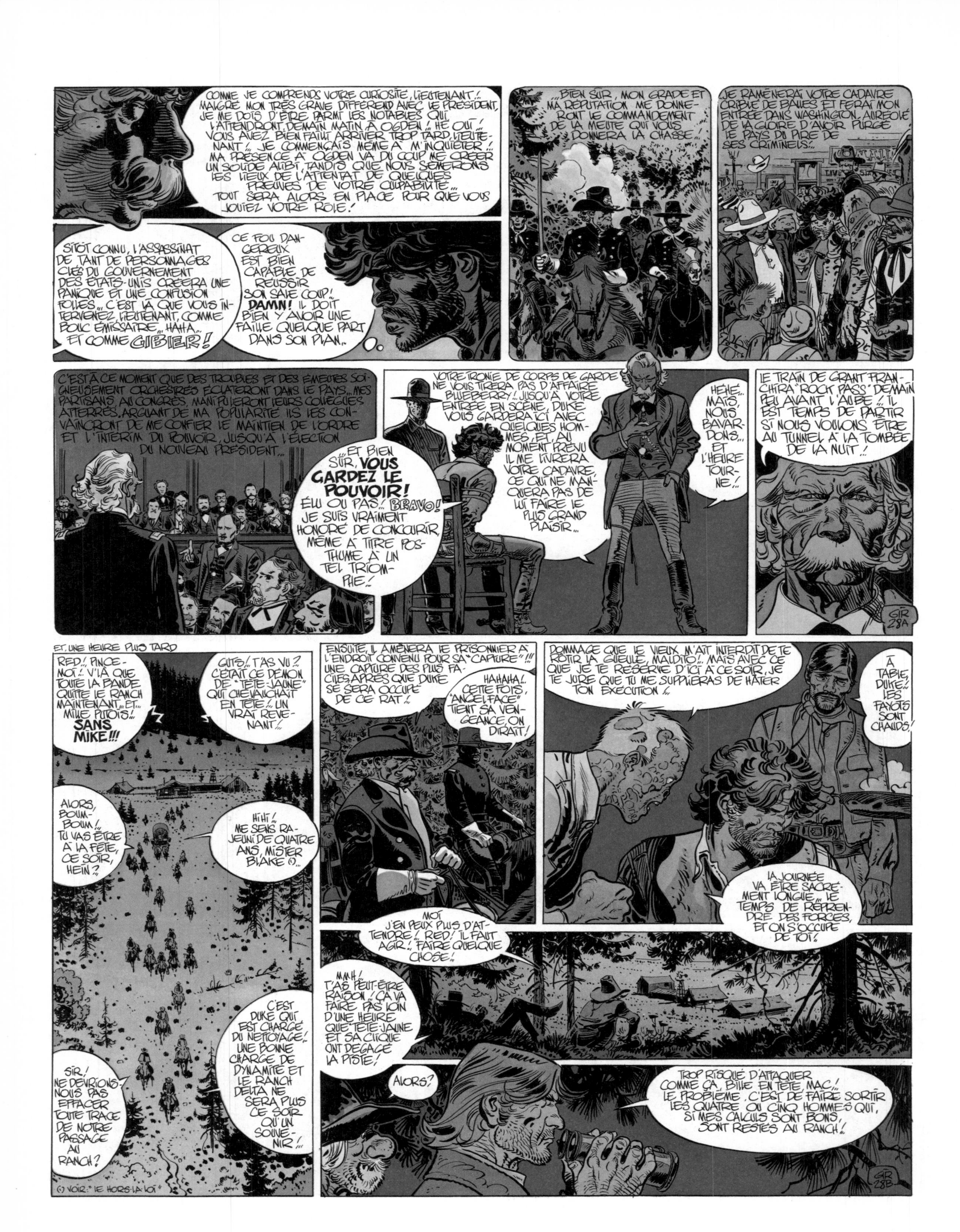
COMME JE COMPRENDS VOTRE CURIOSITÉ, LIEUTENANT !... MALGRÉ MON TRÈS GRAVE DIFFÉREND AVEC LE PRÉSIDENT, JE ME DOIS D'ÊTRE PARMI LES NOTABLES QUI L'ATTENDRONT DEMAIN MATIN À OGDEN !... HÉ OUI !... VOUS AVEZ BIEN FAILLI ARRIVER TROP TARD, LIEUTENANT !... JE COMMENÇAIS MÊME À M'INQUIÉTER !... MA PRÉSENCE À OGDEN VA DU COUP ME CRÉER UN SOLIDE ALIBI, TANDIS QUE NOUS SÈMERONS LES LIEUX DE L'ATTENTAT DE QUELQUES PREUVES DE VOTRE CULPABILITÉ... TOUT SERA ALORS EN PLACE POUR QUE VOUS JOUIEZ VOTRE RÔLE !
...BIEN SÛR, MON GRADE ET MA RÉPUTATION ME DONNERONT LE COMMANDEMENT DE LA MEUTE QUI VOUS DONNERA LA CHASSE !...
JE RAMÈNERAI VOTRE CADAVRE CRIBLÉ DE BALLES ET FERAI MON ENTRÉE DANS WASHINGTON, AURÉOLÉ DE LA GLOIRE D'AVOIR PURGÉ LE PAYS DU PIRE DE SES CRIMINELS !...
SITÔT CONNU, L'ASSASSINAT DE TANT DE PERSONNAGES CLÉS DU GOUVERNEMENT DES ÉTATS-UNIS CRÉERA UNE PANIQUE ET UNE CONFUSION FOLLES... C'EST LÀ QUE VOUS INTERVENEZ, LIEUTENANT, COMME BOUC ÉMISSAIRE... HAHA... ET COMME GIBIER !
CE FOU DANGEREUX EST BIEN CAPABLE DE RÉUSSIR SON SALE COUP !... DAMN ! IL DOIT BIEN Y AVOIR UNE FAILLE QUELQUE PART DANS SON PLAN...
C'EST À CE MOMENT QUE DES TROUBLES ET DES ÉMEUTES SOIGNEUSEMENT ORCHESTRÉS ÉCLATERONT DANS LE PAYS... MES PARTISANS AU CONGRÈS, MANIPULERONT LEURS COLLÈGUES ATTERRÉS. ARGUANT DE MA POPULARITÉ ILS LES CONVAINCRONT DE ME CONFIER LE MAINTIEN DE L'ORDRE ET L'INTÉRIM DU POUVOIR, JUSQU'À L'ÉLECTION DU NOUVEAU PRÉSIDENT...
...ET BIEN SÛR, VOUS GARDEZ LE POUVOIR ! ÉLU OU PAS !... BRAVO ! JE SUIS VRAIMENT HONORÉ DE CONCOURIR, MÊME À TITRE POSTHUME À UN TEL TRIOMPHE !...
VOTRE IRONIE DE CORPS DE GARDE NE VOUS TIRERA PAS D'AFFAIRE BLUEBERRY !... JUSQU'À VOTRE ENTRÉE EN SCÈNE, DUKE VOUS GARDERA ICI AVEC QUELQUES HOMMES, ET, AU MOMENT PRÉVU IL ME LIVRERA VOTRE CADAVRE, CE QUI NE MANQUERA PAS DE LUI FAIRE LE PLUS GRAND PLAISIR...
HÉHÉ... MAIS, NOUS BAVARDONS... ET L'HEURE TOURNE !...
LE TRAIN DE GRANT FRANCHIRA "ROCK PASS" DEMAIN PEU AVANT L'AUBE !... IL EST TEMPS DE PARTIR SI NOUS VOULONS ÊTRE AU TUNNEL À LA TOMBÉE DE LA NUIT !
GIR 28A
ET, UNE HEURE PLUS TARD
RED !... PINCE-MOI !... V'LÀ QUE TOUTE LA BANDE QUITTE LE RANCH MAINTENANT... ET... MILLE PUTOIS !... SANS MIKE !!!
GUTS !... T'AS VU ? C'ÉTAIT CE DÉMON DE "TÊTE-JAUNE" QUI CHEVAUCHAIT EN TÊTE !... UN VRAI REVENANT !...
ALORS, BOUMBOUM !... TU VAS ÊTRE À LA FÊTE, CE SOIR, HEIN ?
HIHI !... ME SENS RAJEUNI DE QUATRE ANS, MISTER BLAKE (1)...
SIR ! NE DEVRIONS-NOUS PAS EFFACER TOUTE TRACE DE NOTRE PASSAGE AU RANCH ?
C'EST DUKE QUI EST CHARGÉ DU NETTOYAGE ! UNE BONNE CHARGE DE DYNAMITE ET LE RANCH DELTA NE SERA PLUS CE SOIR QU'UN SOUVENIR !...
(1) VOIR : "LE HORS-LA-LOI"
ENSUITE, IL AMÈNERA LE PRISONNIER À L'ENDROIT CONVENU POUR SA "CAPTURE" !!! UNE CAPTURE DES PLUS FACILES, APRÈS QUE DUKE SE SERA OCCUPÉ DE CE RAT !...
HAHAHA !... CETTE FOIS, "ANGEL FACE" TIENT SA VENGEANCE, ON DIRAIT !
DOMMAGE QUE LE VIEUX M'AIT INTERDIT DE TE RÔTIR LA GUEULE, MALDITO !... MAIS AVEC CE QUE JE TE RÉSERVE D'ICI À CE SOIR, JE TE JURE QUE TU ME SUPPLIERAS DE HÂTER TON EXÉCUTION !...
À TABLE, DUKE !... LES FAYOTS SONT CHAUDS !
LA JOURNÉE VA ÊTRE SACRÉMENT LONGUE... LE TEMPS DE REPRENDRE DES FORCES, ET ON S'OCCUPE DE TOI !
MOI J'EN PEUX PLUS D'ATTENDRE !... RED ! IL FAUT AGIR !... FAIRE QUELQUE CHOSE !...
MMH ! T'AS PEUT-ÊTRE RAISON !... ÇA VA FAIRE PAS LOIN D'UNE HEURE QUE TÊTE-JAUNE ET SA CLIQUE ONT DÉGAGÉ LA PISTE !
ALORS ?
TROP RISQUÉ D'ATTAQUER COMME ÇA, BILLE EN TÊTE, MAC !... LE PROBLÈME, C'EST DE FAIRE SORTIR LES QUATRE OU CINQ HOMMES QUI, SI MES CALCULS SONT BONS, SONT RESTÉS AU RANCH !...
GIR 28B

NOTRE ATOUT, C'EST QU'ILS SE CROIENT BIEN TRANQUILLES !.. Y-Z-ONT MÊME PAS POSTÉ DE SENTINELLES !..
JE M'Y FIE PAS !.. ILS OBSERVENT PEUT-ÊTRE LES ALENTOURS À LA JUMELLE, DE L'INTÉRIEUR !.. MAIS J'AI UN PLAN !
UN "PLAN" MILLE PUTOIS !.. V'LÀ QU'IL SE MET À CAUSER COMME MIKE À PRÉSENT !
ET C'EST QUOI COMME PLAN ?.. TU FRAPPES À LA PORTE ET TU TIRES DANS LE TAS ?..
PRESQUE !.. MAIS POUR LES FAIRE SORTIR DE LEUR TROU, JE VAIS FLANQUER LE FEU À UN DES BÂTIMENTS...
HÉÉÉ... PAS BÊTE !.. ET MOI J'ATTENDS ICI AVEC LA "WINCH"... DÈS QU'IL Y EN A UN QUI SE POINTE À VOULOIR JOUER LES POMPIERS... BANG BANG !
TOUT JUSTE !.. LE PROBLÈME, ÇA VA ÊTRE D'ATTEINDRE LE BÂTIMENT SANS ME FAIRE ARROSER DE PLOMB ! O.K. !.. J'Y VAIS AVANT QUE LE SOLEIL NE SOIT TROP HAUT.. !!!
MILLE PUTOIS !.. D'ICI JE VAIS LES TIRER COMME AU CASSE-PIPE !..
... PENDANT QUE JE M'OCCUPE DE LIBÉRER MIKE !..
TÂCHE EN TOUT CAS DE LES TENIR SUFFISAMMENT OCCUPÉS !!!
CEPENDANT
HEY ! DUKE !.. DOMMAGE, HEIN ?.. QUE LE VIEUX NOUS AIT INTERDIT DE LUI ARRANGER LE PORTRAIT À CE COYOTE !..
... DEPUIS LE TEMPS QUE TU NOUS RACONTES EN DÉTAIL CE QUE TU ALLAIS LUI FAIRE POUR LUI RENDRE LA MONNAIE DE SA PIÈCE !..
HEY !.. LE VIEUX A PARLÉ DE LA GUEULE... PAS DU RESTE !..
ÇA C'EST UNE IDÉE !.. ABE... RETIRE LUI SES BOTTES !.. ON VA LUI GRILLER LA PLANTE DES PIEDS !..
HÉHÉHIHI !.. C'EST VRAI QUE PERSONNE VA S'AVISER DE DÉCHAUSSER TON CADAVRE, MON GARS !.. HIHIHI !..
HA ! HA ! HA !
BON SANG !.. QUE FABRIQUENT RED ET MAC ?!! FAUT QU'ILS VIENNENT ARRÊTER CE CIRQUE AVANT QU'IL SOIT TROP TARD !..
C'EST À PARTIR D'ICI QUE ÇA DEVIENT PÉRILLEUX !.. J'ESPÈRE QU'ILS SONT OCCUPÉS À AUTRE CHOSE QUE DE SURVEILLER LES ALENTOURS...
GOSH !.. ARRÊTE DE GIGOTER !..
SALAUDS ! LÂCHEZ-MOI !..
HA HA HA HA !..
POUAH !.. TU PUES DES PIEDS MON GARS
BLOOD AND GUTS !.. J'Y SUIS PRESQUE !..

TU VAS VOIR COMME ON VA TE RECURER LES DOIGTS DE PIED, MON GARS !..
ET DORÉNAVANT, QU'EST-CE QUE TU VAS ÉCONOMISER COMME GODASSES !..
HA HA HA HA
HI HI HI HI ! HA HA HA ! OHOHO !
MINUTE LES GARS !.. ET... ET SI JE VOUS OFFRAIS À CHACUN 5000 DOLLARS POUR EMPÊCHER CE MALADE DE M'ESTROPIER ?!
TE V'LÀ BIEN RICHE, DIS DONC, MALGRÉ TES CHAUSSETTES TROUÉES !..
LE TRÉSOR DES CONFÉDÉRÉS ! ÇA VOUS DIT RIEN ?
!!!
C'EST VRAI ! J'AI ENTENDU BLAKE EN CAUSER... C'EST BIEN CE RAT QUI L'A ESCAMOTÉ !
J'AI ÉTÉ ENVOYÉ AU BAGNE POUR ÇA ! MAIS J'AI JAMAIS LÂCHÉ LE FRIC !..
IMBÉCILES ! CE TORDU NE CHERCHE QU'À GAGNER DU TEMPS !.. LAISSEZ-MOI LE GRILLER ET C'EST TOUT SON MAGOT QU'IL VOUS LÂCHERA !
PAR L'ENFER, DUKE A RAISON !..
VAS-Y DUKE !.. RÔTIS-LE !..
?!!? SHUT UP ! ÉCOUTEZ !.. LES CHEVAUX FONT TOUT UN RAFFUT...
DAMN !.. C'EST L'ÉCURIE QUI FLAMBE !..
QU'EST-CE QUE ?..
?!
O.K. METTEZ LES BÊTES À L'ABRI !.. JE M'OCCUPE DE BLUEBERRY !..
DAMNED ! QU'EST-CE QUI A BIEN PU FLANQUER LE FEU À CETTE BARAQUE ?
BAH... UN DES GARS A DÛ LAISSER SA TORCHE ALLUMÉE !..
HM... QUAND MÊME BIZARRE CE...
GIR 30A
PAW
?!
HELL !.. MAC A TIRÉ TROP TÔT !.. LE TROISIÈME EST RESTÉ À COUVERT.
QU'EST-CE QUE JE DISAIS : COMME AU CASSE-PIPE !
PAW
ABE !
HELL !.. UN PIÈGE !..
ARGH !
MONTRE-TOI ! ESPÈCE DE SALOPARD !..
PAW PAW !
BAWNG
PAANG
DAMN ! CE CHIEN ÉTAIT PLANQUÉ LÀ !
M'A TOUCHÉ, MAIS...
GIR 30B

OHGH!
ON DIRAIT QUE ÇA CHAUFFE DROIEMENT AU-DEHORS, ANGEL!
T'EXCITE PAS, SUCKER! UN GESTE DE TROP ET...
DUKE!
BARRET ET ABE ONT EU LEUR COMPTE!... MOI AUSSI, JE SUIS TOUCHÉ, MAIS J'AI DESCENDU L'AUTRE RAT!
OK!... ON VA POUVOIR REPRENDRE OÙ NOUS EN ÉTIONS...
OOUGH!
?!!
HEEEY!!
M... MAUDIT CHIEN!... TU... TU T'ÉCHAPPERAS PAS COMME ÇA...
CHLINT!
PAW
UNE SEULE ISSUE!
KPFFF
THCHAACC
PAW
OÙ... OÙ EST CE BÂTARD?... OÙ IL EST QUE JE LE CRÈVE?
DAMN! LA BALLE DE L'AUTRE M'A AU MOINS PÉTÉ UNE CÔTE!...
C'EST O.K. DUKE!... CET IDIOT S'EST RÉFUGIÉ DANS LA PIÈCE DU VIEUX!
ALORS, IL EST FAIT COMME UN RAT!
AÏE!... CETTE FICHUE PORTE TIENDRA PAS VINGT SECONDES
OOH-NOON!... PAS D'AUTRE ISSUE!
Y A BIEN CETTE FENÊTRE... MAIS GARNIE DE BARREAUX! HELL, JE ME SUIS JETÉ DANS UNE VRAIE NASSE! ...SÛREMENT LA CHAMBRE DE TÊTE-JAUNE!
BOUM! BOUM!
UN RASOIR! JE VAIS AU MOINS ME LIBÉRER LES BRAS!
OUVRE BLUEBERRY! TU PEUX PAS T'ÉCHAPPER!
TON COMPLICE EST MORT! TU N'AS AUCUNE CHANCE! OUVRE!...

OK, BLUEBERRY!.. ON VIENT TE CHERCHER!..
PANG
PANG
ATTENDS, DUKE!.. MON COLT EST VIDE!..
PAS LE TEMPS!.. ME FAUT CE RAT...
BOM
IL SE CACHE QUELQUE PART!!! LA PIÈCE EST SANS ISSUE!
??!
PAW PAW!
IL EST LÀ!..
GOD DAMN IT!..
VIDE!...
DUKE!!! L'ARMOIRE!
BAAMMG!
CRAKKINNNG
BAMMG!
RIEN! VIDE, À PART UN UNIFORME DU VIEUX!.. KEN, TU ES BIEN SÛR QU'IL EST ENTRÉ ICI?..
HELL!
SÛR! DUKE!.. TOUT CE QU'IL Y A D'SÛR!..
ALORS OÙ EST-IL?..
!?!
BLUEB...
ICI ANGEL!
PAWG!
PAWNG!

!!
DUKE! GOOD LORD! T'AS TUÉ DUKE!...
RASCAL! TU VAS PAYER ÇA!
TE FATIGUE PAS!... LES DERRINGER À UN COUP, ÇA TIRE QU'UNE SEULE BALLE!
DAMN!
CLIC!
ADIEU SUCKER!...
PAW
BAWM
!?
SALUT FISTON!... HEUREUX DE TE RETROUVER EN SI BONNE FORME!...
RED!... WOOH!... TU ES ARRIVÉ À PIC, CHAP!... CES COYOTES M'ONT FAIT UNE BELLE PEUR: ILS PRÉTENDAIENT T'AVOIR DESCENDU RAIDE MORT!...
RED! VIVANT
CE SALAUD M'A ÉGRATIGNÉ LA PEAU DU CRÂNE SUR LE COUP, JE ME SUIS RETROUVÉ PLUTÔT GROGGY, MAIS!...
?
?!
CRCCK!
MAC!
BON SANG, ANNONCE-TOI, J'AI FAILLI FAIRE UN TROU DANS TON GILET!...
MILLE PUTOIS!!! VOUS ME LAISSEZ TOMBER AU MILIEU DE CES FICHUS SAPINS, SANS MÊME UNE GOUTTE À BOIRE...
...PENDANT QUE VOUS TRAÎNASSEZ DANS CETTE BARAQUE PLEINE DE BOUTEILLES DANS TOUS LES COINS!...
PLUS TARD...
DANS SA PRÉCIPITATION, ALLISTER A LAISSÉ DERRIÈRE LUI DES DOCUMENTS ET UN COURRIER ACCABLANTS POUR LUI ET SES COMPLICES!...
CE TYPE EST POURTANT MALIN!... COMMENT IL A PU FAIRE UNE BOURDE PAREILLE!?
ANGEL FACE DEVAIT FAIRE SAUTER LE RANCH EN LE QUITTANT...
O.K., FILS!... RAMASSE TOUS CES PAPIERS!... FAUT ENCORE ENTERRER LES CORPS AVANT DE POUVOIR FILER!...
OK... ON VA S'OCCUPER DE TOUS CES BRAVES GARS!...
GIR

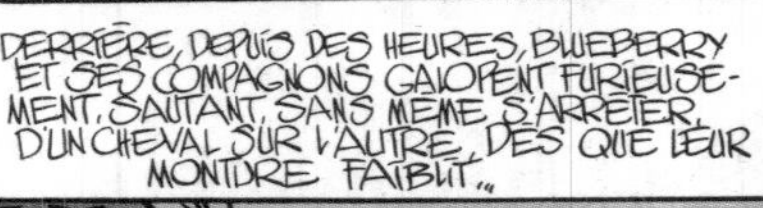

À LA MÊME HEURE, LES TROIS TRAINS DU CONVOI PRÉSIDENTIEL ENTAMENT LA DURE ET INTERMINABLE MONTÉE QUI DOIT LES MENER JUSQU'À ROCK PASS VERS LES TROIS HEURES DU MATIN !

PEU APRÈS...
CE BOYAU DÉBOUCHE AU MILIEU DU TUNNEL !.. AU RAS DU PLAFOND.
CETTE PORTION DE L'OUVRAGE ÉTAIT SI FRAGILE QU'IL A FALLU LA DOUBLER AVEC UNE ÉNORME VOÛTE QUI A MASQUÉ L'ORIFICE...
...MAIS IL EST MURÉ AU BOUT, DONC, INVISIBLE !
RESTE PLUS QU'À BOURRER CE TROU À MINE AVEC LA TONNE D'EXPLOSIFS QUE NOUS AVONS AMENÉS, ET SITÔT LE TRAIN DE GRANT ENGAGÉ DANS LE TUNNEL...
HIHI ! BOUM BOUM !
BRR ! J'AIMERAIS PAS ME GLISSER LÀ-DEDANS !
ET BIENTÔT
ENCORE TROIS CAISSES !
PLUS VITE, LES GARS !.. "BOUM BOUM" VA FINIR PAR MANQUER D'AIR !.. L'A FALLU LE DESCENDRE AU FOND DU BOYAU POUR TASSER LES CHARGES !
MORGAN ! VOUS ÊTES SÛR QUE CE SERA SUFFISANT ??
CE PAN DE MONTAGNE EST COMPLÈTEMENT POURRI ET MINÉ DE CREVASSES ! L'EXPLOSION DÉCLENCHERA UNE SÉRIE DE GLISSEMENTS DE TERRAINS QUI VA BROYER LE TUNNEL TOUT DU LONG !
LE CHEMIN DE FER ! ENFIN !. J'AI BIEN CRU QU'ON L'ATTEINDRAIT JAMAIS !
NOUS SOMMES À PAS LOIN DE TROIS MILES EN CONTREBAS DE L'ENTRÉE DU TUNNEL !
OK ! FAUT TROUVER MAINTENANT L'ENDROIT IDÉAL POUR STOPPER LE CONVOI !
GIR 35A
PLUS TARD
HIHIHI !.. TOUT EST PRÊT LÀ-DESSOUS ! UNE VRAIE BOMBE, LES ENFANTS ! UNE VRAIE BOMBE !..
OK ! TOI, BLAKE ET MOI, NOUS FINIRONS SEULS LE TRAVAIL ! PAS LA PEINE DE GLANDER TOUS ICI !
VOUS REJOIGNEZ LES AUTRES, LÀ-HAUT ET REDESCENDEZ LE DÉFILÉ JUSQU'À UN QUART DE MILE DE LA VOIE... LÀ, VOUS VOUS TROUVEZ UNE PLANQUE ET VOUS NOUS ATTENDEZ !
ENTENDU BLAKE !
...ET FAITES-NOUS UN FEU D'ARTIFICE DE PREMIÈRE, HUH ?
CEPENDANT, BLUEBERRY ET SES COMPAGNONS REMONTENT VERS LE TUNNEL, LONGEANT LES RAILS.
MILLE PUTOIS ! L'EST ENCORE LOIN CE FICHU TUNNEL ?
HAAA ! VOILÀ EXACTEMENT LE GENRE D'ENDROIT QUE JE CHERCHAIS...
MAC... CE SERA À TOI DE FAIRE STOPPER LE TRAIN DE GRANT, EXACTEMENT SUR CE PONT ! APRÈS QUE RED AURA ARRÊTÉ LE PREMIER, UN PEU PLUS HAUT
STOPPER LE TRAIN DU PRÈS ? D'ACCORD ! PIGÉ...
ET, COMMENT ON EST CENSÉ S'Y PRENDRE ? ON POUSSE AVEC LES MAINS ?
ON S'COUCHE SUR LA VOIE ?
GIR 35B

AVEC DES FEUX ET DES TORCHES, TOUT BÊTEMENT !.. VOUS N'ÊTES PAS RECHERCHÉS ET VOUS N'AUREZ PAS D'ARMES. QU'EST-CE QUE VOUS RISQUEZ ?..
UNE BONNE GICLÉE DE PLOMB DANS LE BUFFET !..
ET TOI, FISTON ?
JE ME DÉBROUILLE POUR ME FAUFILER JUSQU'À GRANT... JE VOUS EXPLIQUERAI MON PLAN, SITÔT TROUVÉ UN COIN OÙ CACHER LES CHEVAUX !
ENTRETEMPS
J'AI MINUTÉ LE TEMPS APPROXIMATIF QUE LE TRAIN DE GRANT METTRA À ATTEINDRE LE MILIEU DU TUNNEL... ENVIRON TROIS MINUTES...
ET NOUS, Y NOUS FAUDRA PAS PLUS DE CINQ MINUTES POUR NOUS METTRE À L'ABRI !
"BOUM-BOUM" TU PEUX CALCULER LA LONGUEUR DE LA MÈCHE POUR CETTE DURÉE ?
HOUHOUHH... HIHI !.. PAS DE PROBLÈME !..
LES MÈCHES, ÇA ME CONNAÎT !!!
TU L'ALLUMERAS DÈS L'ENTRÉE DU PREMIER TRAIN DANS LE TUNNEL !
D'ICI, NON !.. MAIS DE CE PITON ISOLÉ, LÀ-BAS, TU AURAS UNE VUE PARFAITE SUR LA VOIE, JUSTE AVANT LE TUNNEL... TU NOUS ENVERRAS UN SIGNAL LUMINEUX, EN TE MASQUANT DERRIÈRE LE ROCHER !..
HÉE !.. COMMENT IL VA SAVOIR QUE LE TRAIN IL ENTRE DANS LE TUNNEL ? D'ICI, ON VOIT MÊME PAS LA VOIE FERRÉE...
DAMN IT !.. MAIS... J'AI PAS UNE CHANCE SUR DIX D'Y ARRIVER VIVANT !!!
JAMAIS VOUS M'OBLIGEREZ À RISQUER MA PEAU SUR UN TRUC PAREIL !
JAMAIS !!
GIR 36A
DAMN IT ! DAMN IT !
VOILÀ LE PONT !!! NOUS...
MITE !.. LE CONVOI ! JE L'ENTENDS QUI ARRIVE !!!
BIEN !.. CHACUN À SON POSTE !.. ET TÂCHEZ DE PAS VOUS ENDORMIR DANS LA NEIGE !
QUINZE MINUTES PLUS TARD, GRAVISSANT POUSSIVEMENT LA PENTE EN AHANANT, LE PREMIER TRAIN FRANCHIT LE PONT SOUS LEQUEL...
...S'EST TAPI BLUEBERRY
À CETTE ALLURE, RED N'AURA AUCUN MAL À LE STOPPER LÀ-HAUT !
GIR 36B

REGARDEZ!
UN... UN FEU! EN TRAVERS DES RAILS!
STOP!
UN QUART DE MILE PLUS HAUT, EN EFFET...
STOP
STOP!!!
ARRÊTEZ! NE TIREZ PAS! LE TUNNEL, PLUS HAUT, A ÉTÉ MINÉ!..
HELL! D'OÙ SORT CET ÉNERGUMÈNE?
UN VIGILANTE?
Y A PAS UN PATELIN À CINQUANTE MILES À LA RONDE!..
...OU UN GUET-APENS! EMPAREZ-VOUS DE LUI, DÉSARMEZ-LE ET FOUILLEZ LES ALENTOURS!
AU MÊME INSTANT, LE TRAIN DE GRANT FRANCHIT À SON TOUR LE PETIT PONT
HEEE!.. JEFF! UN SIGNAL SUR LA VOIE!
STOPPE VITE!..
Y A UN TYPE!..
FILE PRÉVENIR L'OFFICIER DE GARDE!..
À LA MÊME SECONDE
C'EST PARTI!..
!!!
QU'EST-CE QU'IL SE PASSE? POURQUOI ON S'ARRÊTE?
NE BOUGE SURTOUT PAS...
OUCH!!
T'EN FAIS PAS, JE VAIS TE TROUVER UN COIN TRANQUILLE JUSQU'À TON RÉVEIL!..
OK!.. AU TOUR DE GRANT!..
GUTS! CET ARRÊT N'EST PAS DANS LE PROGRAMME!
GRANT! IL EST ICI!
CAPTAIN! POURQUOI CET ARRÊT?
!!! POUR L'AMOUR DU CIEL, MISTER PRÉSIDENT NE VOUS EXPOSEZ PAS!
MILLE PUTOIS! ÇA VA! PAS LA PEINE DE BOUSCULER!

NOUS AVONS APPRÉHENDÉ L'HOMME QUI A FAIT STOPPER LE TRAIN, SIR !..
INTERROGEZ-LE ET RENDEZ-MOI COMPTE !.. ET FAITES DÉPLOYER LA TROUPE AUTOUR DES TRAINS !.. CE DAMNÉ DÉFILÉ EST LE LIEU RÊVÉ POUR UN GUET-APENS !..
YES SIR !..
VITE ! LE COIN VA BIENTÔT GROUILLER DE SOLDATS !.. BON ! CES DEUX CEINTURONS BOUT À BOUT FERONT L'AFFAIRE !..
QUI EST CELUI-LÀ ENCORE ?..
C'EST L'INDIVIDU QUI A STOPPÉ LE TRAIN DE TÊTE, SIR !.. IL N'EST PAS ARMÉ, ET IL PRÉTEND QUE LE PROCHAIN TUNNEL A ÉTÉ MINÉ !..
HM... EMMENEZ LES DEUX SUSPECTS DANS LE WAGON DE QUEUE ! ILS VONT NOUS RACONTER LEUR HISTOIRE !
SIR, J'AI PU ARRÊTER LE TROISIÈME CONVOI AVANT QU'IL NOUS TAMPONNE !
PERSONNE ENCORE DE CE CÔTÉ !.. GOOD !.. ET LE FRACAS DE LA CHUTE D'EAU COUVRIRA LE BOUCAN QUE JE VAIS FAIRE !..
OK... J'Y VAIS !
!?!
CRACH
GIR 33A
???? QUI... QUI ÊTES-VOUS ?..
MILLE EXCUSES POUR L'INTRUSION, SIR... MAIS JE N'AI PAS EU LE CHOIX !..
QUI JE SUIS ?..
EX-LIEUTENANT MIKE S. BLUEBERRY SIR... JE SUPPOSE QUE VOUS AVEZ ENTENDU PARLER DE MOI ?..
HM... JE N'AI AUCUN MÉRITE... VOUS ÊTES CÉLÈBRE !.. HEU... VOUS VENEZ DONC VOUS VENGER ?
SI C'ÉTAIT LE CAS, VOUS SERIEZ RAIDE MORT DEPUIS UN BON MOMENT !.. AU CONTRAIRE, JE VIENS VOUS SAUVER LA MISE... ET RÉCLAMER JUSTICE !..
JE VOIS !.. AVEC UN COLT AU POING !..
HEY !.. LÀ ! DANS LES BROUSSAILLES !.. UN CORPS !..
C'EST MULLIGAN !.. IL ÉTAIT DE GARDE !
IL EST ASSOMMÉ !..
LÀ ! UNE FENÊTRE BRISÉE ! ALERTE ! QUELQU'UN S'EST INTRODUIT CHEZ LE PRÉSIDENT !..
?!!?
AVAIS-JE UNE SEULE AUTRE CHANCE DE PARVENIR JUSQU'À VOUS ?.. MON "COLT", LE VOICI, SIR ! VOUS POUVEZ M'ABATTRE !..
MISTER PRESIDENT ! EST-CE QUE TOUT VA BIEN ? ???
AUCUN PROBLÈME, RÉGINALD !.. QU'ON NE ME DÉRANGE PAS !
!???! QUE FAIRE ?.. DONNER L'ASSAUT ?..
VOUS ÊTES CINGLÉ, CAPTAIN !.. CE SERAIT LE MEILLEUR MOYEN DE METTRE LA VIE DU PRÉSIDENT EN DANGER !.. NON !.. IL FAUT ATTENDRE...
DRÔLE DE PHÉNOMÈNE !.. O.K. ! JE TE DONNE DIX MINUTES, MON GARS ! PARCE QUE DODGE M'A PROUVÉ TON INNOCENCE DANS LE VOL DE L'OR DES CONFÉDÉRÉS !..
GIR 33B

...ET QUE LE SECRET SERVICE A ÉTABLI QUE LE BILLET DE MENACES TROUVÉ SUR LE CADAVRE DE KELLY N'ÉTAIT PAS DE TA MAIN... ALORS... JE T'ÉCOUTE !
CEPENDANT, PLUS HAUT DANS LA MONTAGNE, À L'ORÉE DU TUNNEL
CAPORAL ! C'EST L'HEURE DE LA PATROUILLE DANS LE TUNNEL ! PRENEZ TROIS HOMMES ET ALLEZ-Y !
BLAST IT ! CE DAMNÉ CONVOI A DU RETARD !
GOSH ! TON HISTOIRE EST UN VRAI CONTE À DORMIR DEBOUT... QU'EST-CE QUI ME PROUVE QU'ELLE EST VRAIE ?
DÉJÀ LE FAIT QUE J'AI RISQUÉ LA CORDE POUR VOUS SAUVER ! MAIS SURTOUT CES PAPIERS ! LES NOTES, LA CORRESPONDANCE SECRÈTE D'ALLISTER ! IL Y A MÊME LES FACTURES D'EXPLOSIFS !
HM... ALLISTER ! OUI ! JE L'AI TOUJOURS CONSIDÉRÉ COMME UNE BADERNE TEIGNEUSE, MAIS DE LÀ À L'ACCUSER DE TOUS CES FORFAITS : TRAHISON !? COMPLOT ! ASSASSINATS ! C'EST IMPOSSIBLE ! IMPOSSIBLE ! D'AILLEURS, CE FICHU TUNNEL EST GARDÉ ! NON !?
ALORS FAITES-MOI ARRÊTER ET CONTINUEZ VOTRE ROUTE ET, DANS UN QUART D'HEURE NOUS PÉRIRONS TOUS ! BROYÉS SOUS DES TONNES DE ROC !
EN EFFET, HM HM... EN EFFET ! IL FAUT DONC REBROUSSER CHEMIN ET...
ET VOUS JETER DANS UN AUTRE TRAQUENARD !
... MAIS CETTE FOIS...
GIR 38A
... J'IGNORE OÙ LE PIÈGE EST TENDU ET JE NE POURRAI PAS VOUS ÉVITER LA CATASTROPHE !
TU PENSES DONC QU'ALLISTER A PROGRAMMÉ PLUSIEURS ATTENTATS !? DAMN !
J'EN SUIS PERSUADÉ, SIR ! IL A PLUS DE TRENTE CAVALIERS DANS LA MONTAGNE, PRÊTS À SE PORTER TRÈS VITE N'IMPORTE OÙ, AVEC ASSEZ D'EXPLOSIFS POUR LA FAIRE SAUTER TOUT ENTIÈRE !
... CE COYOTE A BIEN SÛR ÉVITÉ DE ME DÉVOILER TOUS SES PLANS ! MAIS IL EST CERTAIN QU'IL A PRÉVU LE CAS OÙ LE CONVOI FERAIT DEMI-TOUR !
GOOD LORD !
EN NE LE VOYANT PAS ARRIVER AU TUNNEL, SES GUETTEURS COMPRENDRONT... DES MESURES ONT DÛ ÊTRE PRISES POUR LUI COUPER LA RETRAITE ET POUR LE DÉTRUIRE ! IL SUFFIT DE QUELQUES CHARGES BIEN PLACÉES SUR LES CRÊTES, ET LES PAROIS POURRIES SURPLOMBANT LA VOIE S'ÉCROULERONT SUR VOS TRAINS ET EMPORTERONT TOUT !
!!!
DONC, QUOI QUE NOUS FASSIONS, NOUS SOMMES FICHUS ! HEIN ? ET JE PARIE QUE TOI, TU AS UNE SOLUTION !
EN EFFET, SIR ! BASÉE SUR L'ORDRE D'ALLISTER DE NE RIEN TENTER CONTRE LE TRAIN DE TÊTE, POUR NE PAS ALERTER LE VÔTRE QUI EST SON OBJECTIF RÉEL !
GIR 38B

TOUJOURS RIEN! C'EST DE PLUS EN PLUS INQUIÉTANT!..
JE VOUS LE RÉPÈTE!.. IL FAUT DONNER L'ASSAUT!
COLONEL, LE CAPTAIN A RAISON!.. PRENONS LE RISQUE D'ATTAQUER!..
...SI NOUS FRAPPONS VITE ET FORT, TOUTES LES CHANCES SONT DE NOTRE CÔTÉ!..

HM... C'EST BON!.. CAPTAIN!.. QUE VOS HOMMES SE METTENT EN POSITION!.. NOUS DONNERONS L'ASSAUT DANS...
GENTLEMEN !!!

RÉUNION IMMÉDIATE DE TOUS LES RESPONSABLES DE LA SÉCURITÉ DU CONVOI, DANS MON WAGON-BUREAU!..
?!
YES SIR!

MAIS...
BON SANG, PLUS D'UNE HEURE DE RETARD MAINTENANT!.. HEU!.. SI ÇA CONTINUE, JE VAIS GELER SUR PLACE!..
RIEN DE SUSPECT SOUS LE TUNNEL, SARGENT!..
OK!.. DÉPÊCHEZ-VOUS!.. Y A DU CAFÉ BIEN CHAUD!

MISTER PRÉSIDENT, NOUS NAGEONS EN PLEINE FOLIE!.. COMMENT POUVONS-NOUS FAIRE LA MOINDRE CONFIANCE À CE... CE RENÉGAT!..
C'EST UN TRAÎTRE QUI A DÉJÀ TENTÉ DE VOUS TUER, ET...
ET QUI NE L'A PAS FAIT TOUT À L'HEURE ALORS QU'IL POUVAIT M'ABATTRE SANS RISQUE!.. ÇA SUFFIT, GENTLEMEN!.. CET HOMME M'A CONVAINCU DE SON INNOCENCE, PREUVES À L'APPUI!

...SES ORDRES SONT COMME LES MIENS ET JE VOUS SOMME DE LES EXÉCUTER SUR LE CHAMP. TOUS LES OCCUPANTS DE CE TRAIN DÉMÉNAGENT DANS CELUI DE TÊTE!!! AVEC ARMES ET BAGAGES!.. AU TROT!
MAIS...
POURQUOI DIABLE CE...
?!!
...HEU... YES SIR!!! LES ORDRES SERONT EXÉCUTÉS... SANS DISCUSSION!

PRÉCIPITAMMENT LE TRANSFERT S'OPÈRE D'UN TRAIN À L'AUTRE
SALUT FISTON!.. HÉHÉ!.. ON DIRAIT BIEN QUE TON PLAN A MARCHÉ!
'LO MAC! HI! RED! OH!.. LE BAL N'EST PAS FINI!..
LAISSEZ QUELQUES LAMPES ALLUMÉES DANS CE TRAIN!.. QU'IL AIT L'AIR OCCUPÉ!!!
ATTENTION AUX CAISSES DE DOCUMENTS!..

HÉY!.. MIKE!.. TU VAS PAS PILOTER CE TRAIN-SUICIDE J'ESPÈRE!
TES AMIS ONT RAISON... C'EST DE LA FOLIE... MAIS... HM... JE SUPPOSE QUE TU ES TOUJOURS RÉSOLU!
C'EST INDISPENSABLE, MISTER PRÉSIDENT!.. LES CONJURÉS DOIVENT ÊTRE PERSUADÉS JUSQU'AU BOUT QUE TOUT SE PASSE COMME ILS L'ONT PRÉVU!.. CE SERA ÉGALEMENT LA PREUVE DÉFINITIVE DE MON INNOCENCE!..

LES TRAINS SONT PRÊTS À PARTIR, SIR!
ET LES ORDRES DONNÉS POUR LA PHASE FINALE!.. MAIS VOUS PRENEZ UN RISQUE ÉNORME, PRÉSIDENT!

JE NE PÉNÉTRERAI DANS CE TUNNEL QU'APRÈS QUE LE PREMIER TRAIN EN SOIT SORTI ET ME L'AI SIGNALÉ PAR DEUX COUPS DE SIFFLET!
OK! MONTEZ QUE JE VOUS MONTRE!

HÂTIVEMENT, GRANT ET SA SUITE SE SONT ENTASSÉS DANS LE TRAIN DE TÊTE... ET BIENTÔT, CELUI-CI, SURCHARGÉ, REPREND SA MONTÉE VERS LE TUNNEL DE ROCK PASS, UN MILE ET DEMI PLUS HAUT...
...ET CE VOLANT VOUS PERMET DE RÉDUIRE OU D'AUGMENTER LA PRESSION.
OK! COMPRIS
VITE! REJOIGNEZ TOUS LE TRAIN DE QUEUE!

VOUS INQUIÉTEZ PAS !.. JE SAURAI BIEN ME DÉBROUILLER JUSQU'AU TUNNEL !.. BYE !..
BYE !.. HÉ !.. ÇA ME FAIT QUAND MÊME MAL AU COEUR POUR LA MACHINE !..

ENTRETEMPS
LE TRAIN DE TÊTE !.. ENFIN ! VITE ! LE SIGNAL !..

C'EST LE SIGNAL !.. VITE ! BOUM BOUM !.. ALLUME LES MÈCHES !..
POUR ÇA OUI !.. HIHIHI !.. PAS TROP TÔT !..

ET BIENTÔT
HELL ! QU'ATTENDS-TU ?.. FAUT REMONTER JUSQU'AUX CHEVAUX !..
HIHIHI !.. BOUM BOUM !

CEPENDANT
!? QUE FICHE LE TRAIN DE GRANT ?.. IL DEVRAIT ÊTRE PASSÉ À L'INSTANT !

LANCÉ À TOUTE ALLURE MALGRÉ SON SURCROÎT DE PASSAGERS, LE TRAIN DE TÊTE A ENFIN FRANCHI SANS ENCOMBRE LA FIN DU TUNNEL...
HÉ !.. HARRY !.. LANCE LES DEUX COUPS DE SIFFLET, COMME PRÉVU !..

TÛÛÛÛT
TÛÛÛT !

TÛÛÛÛT, TÛÛÛÛT !
LES DEUX COUPS DE SIFFLET !.. GRANT EST PASSÉ !.. SITÔT HORS DE VUE... JE SAUTE !..
AU MÊME INSTANT, LE SECOND TRAIN, VIDE DE TOUT OCCUPANT ET PILOTÉ PAR BLUEBERRY, ABORDE À SON TOUR L'ENTRÉE DU TUNNEL

HELL !.. CE DAMNÉ TORTILLARD RALENTIT ENCORE... ÇA FICHE PAR TERRE TOUS LES MINUTAGES DE MORGAN !.. POURVU QUE...

À PEINE ENGAGÉ SOUS LA VOÛTE, BLUEBERRY BLOQUE À FOND LES FREINS DE SA MACHINE... ET...

...ET SE PRÉCIPITE HORS D'ATTEINTE DE LA PÉRILLEUSE VOÛTE DE ROCAILLES...
!!!? D'OÙ IL SORT, CELUI-LÀ !?
ÉCARTEZ-VOUS DE L'AXE DU TUNNEL !.. VITE !!!

À LA MÊME SECONDE, UN GIGANTESQUE GEYSER DE FEU GICLE DE LA FAILLE, TRANSFORMÉE EN PUITS DE MINE !.. LA DÉFLAGRATION ÉVENTRE LITTÉRALEMENT LA PAROI SOUS LAQUELLE COURT LE TUNNEL...

À UNE VITESSE FULGURANTE LA MONSTRUEUSE CREVASSE GAGNE DE PROCHE EN PROCHE, ÉVENTRANT LA FALAISE SUR TOUTE SA LONGUEUR... LA PENTE ENTIÈRE SE BOURSOUFLE SOUDAIN, SE FRACTURE, S'ÉMIETTE ET GLISSE D'UNE SEULE MASSE ! C'EST TOUT UN PAN DE LA MONTAGNE QUI S'EFFONDRE D'UN SEUL BLOC...
DANS UN FRACAS DE FIN DU MONDE, LA TITANESQUE AVALANCHE EMPORTE LE TUNNEL, MAIS AUSSI "BOUM-BOUM" LANDSKY ET L'INGÉNIEUR MORGAN...
...QUI N'AVAIENT PAS PRÉVU UN TEL DÉCHAÎNEMENT...
DAMN IT !.. CE FICHU TUNNEL S'EST EFFONDRÉ !..
À UNE SECONDE PRÈS, ON ÉTAIT TRANSFORMÉS EN GALETTES !.. QUI QUE TU SOIS, L'AMI, MERCI !!!
VOILÀ QUI LÈVERA LES DERNIERS DOUTES DE GRANT !..
EN EFFET, À LA SORTIE DU TUNNEL
GUTS !.. BLUEBERRY A DIT VRAI !.. COLONEL !.. TOUTES LES TROUPES À TERRE !.. IL FAUT PRENDRE EN TENAILLE LES DYNAMITEROS ENCORE DANS LE MASSIF !.. FAITES-LE CERNER ET RATISSER
LES SOLDATS DU TRAIN DE QUEUE DOIVENT ÊTRE DÉJÀ EN TRAIN DE BOUCLER L'AUTRE VERSANT...
DE FAIT, A L'AUTRE BOUT DE LA GALERIE ÉBOULÉE, LE TROISIÈME TRAIN VIENT DE STOPPER.
GOOD LORD, MIKE... TU T'EN ES TIRÉ EN UN SEUL MORCEAU...
MAC !.. NOS CHEVAUX, VITE ! IL FAUT REJOINDRE LE CONVOI DU PRÈS !..
CONFIRMEZ-LUI QUE J'APPLIQUE LE PLAN CONVENU... NOS TROUPES FERONT LEUR JONCTION SUR LES CRÊTES D'ICI QUINZE MINUTES !..
À L'AIDE !.. HELP !..
QU'EST-CE QUE C'EST QUE CES HURLEMENTS DE COCHON QU'ON ÉGORGE !?
LÀ-BAS JE VOIS QUELQUE CHOSE QUI BOUGE !

PEU APRÈS, AYANT REEMBARQUÉ SES PASSAGERS, LE PREMIER TRAIN ENTAME SA DESCENTE VERS OGDEN...

CEPENDANT, À OGDEN...
GÉNÉRAL ! CE TÉLÉGRAMME VIENT D'ARRIVER POUR VOUS !
ENFIN ! L'ULTIME SIGNAL QUE J'ATTENDAIS !

VICTOIRE ! NOS GUETTEURS CÂBLENT QUE LE TUNNEL A SAUTÉ COMME PRÉVU ! GRANT EST MORT !...
À CHEVAL !!!
GRANT EST MORT !

TOUTE LA VILLE ET LES NOTABLES DE LA RÉGION ATTENDENT LE CONVOI À LA GARE ! NOTRE GRAND JOUR EST VENU ! LE POUVOIR EST À NOUS !...
YAOOO
EN AVANT !!

ET, QUELQUES MINUTES PLUS TARD, À LA STATION, OÙ S'IMPATIENTE UNE FOULE DE PLUS EN PLUS NERVEUSE ET INQUIÈTE...
CITOYENS MES AMIS !... ÉCOUTEZ !!!
OGDEN

...UNE EFFROYABLE NOUVELLE VIENT DE NOUS PARVENIR ! LE PRÉSIDENT GRANT, SA SUITE, ET PLUSIEURS MINISTRES VIENNENT DE TROUVER UNE MORT TRAGIQUE !
QUOI !?
DIEU NOUS PROTÈGE !
GOOD LORD
GRANT !? MORT !? COMMENT EST-CE POSSIBLE ?
OUI... COMMENT ? OÙ ?

AVEC SA BANDE DE BRIGANDS, LE RENÉGAT BLUEBERRY, CE CHIEN ENRAGÉ, A FAIT SAUTER LE TRAIN DU PRÉSIDENT !...
... MAIS CE CHAROGNARD N'EST QUE LA MAIN ARMÉE D'UNE VASTE CONJURATION QUI MENACE LE PAYS ENTIER D'UNE NOUVELLE GUERRE CIVILE !

...VU LA GRAVITÉ DE LA SITUATION, MOI, GÉNÉRAL ALLISTER, JE DÉCRÈTE LA LOI MARTIALE ET ASSUME DÉSORMAIS TOUS POUVOIRS DANS CET ÉTAT !...

FÉLONIE !.. C'EST TOI, ALLISTER, QUI ES LE RENÉGAT !... GRANT NE PEUT ÊTRE MORT !... NOUS...
HEY ! VOUS ! LÀ-BAS !... SILENCE QUAND LE GÉNÉRAL PARLE !...
DODGE ! LE GÉNÉRAL DODGE !...
TUUUUT CHHHHNNNH... TCHHHHH TCHHH !

QUOI ?! UN... UN TRAIN ? QUE SIGNIFIE ?
RIEN À CRAINDRE, SIR, C'EST LA PREMIÈRE RAME DU CONVOI DE GRANT... CELLE QUE NOUS AVONS LAISSÉE PASSER LIBREMENT !
ELLE SURVIENT À POINT... SES OCCUPANTS VONT NOUS PERMETTRE DE RIVER SON BEC À DODGE, EN CONFIRMANT L'ATTENTAT !

ALLISTER!.. TU N'ES QU'UN...
CITOYENS D'OGDEN!.. CE TRAITRE AFFIDÉ À LA CONJURATION TENTE DE SEMER LE DOUTE DANS NOS ESPRITS!.. VOICI QUI VA LE CONFONDRE CAR... JE VOUS LE JURE, LE PRÉSIDENT, HÉLAS... EST MORT!..

TU NE M'ENTERRES PAS UN PEU VITE, ALLISTER?
QUOI?

GRANT!
NORTH WEST
ET BIEN VIVANT!.. CANAILLE!!
281

HOURRA!.. HOURRA!
VIVE LE PRÉSIDENT GRANT!..
DAMN!.. NOUS SOMMES ACCULÉS AU TRAIN PAR LA FOULE, CHEF...
À MORT LES TRAITRES
JETEZ VOS ARMES! OU JE VOUS FAIS FUSILLER À BOUT PORTANT!.. DODGE!.. FAITES ARRÊTER CES RASCALS!..
GDEN
OOH!.. BLUEBERRY! VIVANT! LUI AUSSI!.. ENFER!!!
281

PAS ENCORE! FONÇONS DANS LA FOULE!.. GRANT N'OSERA PAS ORDONNER LE TIR!.. EN AVANT!..
MAIS, SUR UN APPEL DE CLAIRON PARTI DU TRAIN, DES SOLDATS CONVERGEANT DEPUIS LES CONFINS DE LA VILLE, DÉBOULENT SOUDAIN PAR TOUS LES ACCÈS, BLOQUANT LES ISSUES, SURGISSANT SUR LES TOITS...
HELL! CETTE FOIS, PLUS DE FUITE POSSIBLE!..
NOUS NE TRAVERSERONS JAMAIS CETTE FOULE ENRAGÉE!..
C'EST LA FIN, GÉNÉRAL!.. RENDONS-NOUS POUR ÉVITER UN MASSACRE! JE VOUS EN CONJURE!!!
À LA POTENCE!!!
À MORT!
À MORT ALLISTER!
DES CORDES!!!
DÉSARÇONNE-LES!!!

PLUS TARD, CE JOUR-LÀ
POUR L'HONNEUR DE L'ARMÉE, JE NE TIENS PAS À FAIRE CONDAMNER, DÉGRADER, ET FUSILLER UN VIEUX SOLDAT TEL QUE VOUS, ALLISTER!
VOUS AVEZ MIEUX À M'OFFRIR GRANT?

...LE MOYEN D'EN FINIR HONORABLEMENT... AVEC CE COLT... IL NE CONTIENT QU'UNE SEULE BALLE... VOUS COMPRENEZ CE QUE CELA SIGNIFIE!..
JE COMPRENDS! MERCI ULYSSES, J'ACCEPTE.

MAIS TU ME PRÉCÈDERAS EN ENFER... HAHAHA!.. IMBÉCILE!..
GUTS!

ATTENTION !!
HEY !?
PAW
PAW

PAW

MORT !..
EN PLEIN COEUR !
TOUT EST OK, MISTER PRÉSIDENT ?!!?
CE VIEUX FOU A BIEN FAILLI MARQUER LE DERNIER POINT ! UNE FOIS DE PLUS JE VOUS DOIS LA VIE, MIKE !..

PEU APRÈS
GENTLEMEN ! L'HONNEUR DE L'ARMÉE DOIT RESTER SAUF ! OFFICIELLEMENT DONC, LE GÉNÉRAL ALLISTER S'EST VOLONTAIREMENT DONNÉ LA MORT !..

CE SOIR, JE SIGNERAI LE DÉCRET DE RÉHABILITATION AINSI QU'UN RÉTABLISSEMENT DANS VOTRE GRADE... VOUS POUVEZ À NOUVEAU MARCHER LA TÊTE HAUTE, LIEUTENANT !..

MERCI MISTER PRÉSIDENT !.. HMM... DERNIER POINT... L'OR DE VIGO !? J'EN FAIS QUOI ?..
GARDEZ-LE !.. À TITRE DE DÉDOMMAGEMENT !..
GIR 46A

LA MOITIÉ SERA POUR CES DEUX VIEUX DÉBRIS !.. DEPUIS LE TEMPS QU'ILS RISQUENT LEUR PEAU GRATUITEMENT, POUR MES BEAUX YEUX... ILS MÉRITENT BIEN ÇA !
MIKE PUTOIS, ÇA TOMBE À PIC !.. J'AI DES ANNÉES DE SOIFS TITANESQUES À RATTRAPER !..
YAOOO !.. JIMMY !.. NOUS V'LÀ COUSUS D'OR... D'UN SEUL COUP D'UN SEUL !.. YEEH !
FAMEUSE IDÉE, MIKE !.. QUE DIREZ-VOUS D'UN GRAND BANQUET D'HONNEUR POUR FÊTER ÇA ?

HEU... C'EST-À-DIRE QUE... MISTER PRÉSIDENT, JE SOLLICITE UNE DERNIÈRE FAVEUR : L'AUTORISATION DE PARTIR SUR L'HEURE... JE DOIS ASSISTER AU MARIAGE D'UNE AMIE DANS HUIT JOURS, À SACRAMENTO !..
DIABLE ! ÇA VOUS LAISSE TOUT JUSTE LE TEMPS !.. PERMISSION ACCORDÉE !

ET... ON PEUT SAVOIR LE NOM DE LA BELLE ?..
CHIHUAHUA PEARL !
QUOI ?!
HEIN !!?
NON !
ET... QUI ÉPOUSE-T-ELLE ?

MOI !... MAIS ELLE NE S'EN DOUTE PAS ENCORE !.. ELLE S'EST JETÉE À LA TÊTE DU PREMIER COUSU D'OR VENU... JE SUIS TOMBÉ SUR L'INFORMATION PAR HASARD, DANS UN NUMÉRO DU "CHRONICLE" DE SANTA FE QUI TRAÎNAIT DANS LES PAPIERS DE TÊTE-JAUNE !..

ET BIENTÔT
MES VOEUX VOUS ACCOMPAGNENT LIEUTENANT !
PAUV' GARS ! L'AVAIT TOUT POUR ÊTRE PEINARD...
YUP ! ET LE V'LÀ QUI REPLONGE DANS LES ENNUIS, TÊTE LA PREMIÈRE ! BAH !!!
GIR 46B

FIN...